Mariaclara Meister

CUENTECITOS

humorous anecdotes
in simple Spanish
with exercises

JOHN M. PITTARO

REGENTS PUBLISHING COMPANY, INC.

CONTENTS

Preface

This collection of simple stories is offered to teachers and pupils for practice in oral work. Short and interesting stories will attract the pupil's attention. The selections must have a challenge to promote successful comprehension and conversation. This part of oral work is a stimulating activity which must be practiced continually. Only in this way can a pupil acquire facility in comprehension and oral self-expression.

For practical purposes, the simple short story is the ideal teaching unit for the study of a foreign language. It is short, direct, compact, and, at times, witty and even dramatic. No other form of presentation offers more familiar points of contact between teacher and pupil. As a detailed slice of life, it is much more meaningful to the pupil. The situations in these stories are so similar to the pupil's experience that he is spared much explanatory material which might be otherwise necessary.

The exercises are intended to be used for practice in comprehension and speaking. The approach stresses the importance of direct comprehension and promotes oral self-expression. The exercise material offers practice in vocabulary building, idioms, comprehension, grammatical points, series, dialogs, and oral composition. It is a program of varied linguistic activity which promises to give the pupil generous returns.

It is hoped that the teacher will make good use of the exercises. They all aim to develop the pupil's ability to understand and reproduce the story orally. In doing so, we expand his vocabulary and idiom list, review first level grammatical material, and practice series, dialogs, and composition.

John M. Pittaro

How to use *Cuentecitos*

1. All the stories must be developed orally before the pupils have an opportunity to see them in print.

2. With books closed, the story should be told by the teacher and repeated by the class. The primary purpose is to exercise the pupil's power of comprehension. The teacher should resort to all possible means of clarifying the story content such as pantomime, explanation of words and expressions in Spanish, and the use of English as a last resort.

3. The teacher should read the story and have the class repeat it after him. This should be done sentence by sentence. If the sentence is too long, it can be taken one part at a time. The class should then read the story and imitate the teacher in every detail, with emphasis on clarity of speech, rhythm, and intonation.

4. At this point the pupils should read the story and practice the exercises in chorus, groups, and individually.

5. With books still open, the pupils should try to reproduce the story sentence by sentence. The books remain open in order to supply a word or phrase which may have been forgotten. Later the pupils will volunteer to dramatize the story.

6. The teacher realizes that the verb is the backbone of the language and no story should be studied without some practice in the use of tenses, persons, and other details that the selection may suggest.

7. If the teacher wishes to review any grammatical point, he may do so. It is advised, however, that review of grammatical points be left for days when grammar is studied.

8. The primary purpose of the selection should be: to understand the contents, acquire new vocabulary and idioms, discuss the passage in Spanish, and read the story naturally with emphasis on correct pronunciation, proper breath groups, rhythm, and intonation. In the more advanced stages, a written summary of the story may be assigned for homework.

Explicación [1]

Manolín [2] y su mamá están sentados [a] a la mesa. Están comiendo. [b] La mamá le dice a su hijo Manolín:

—Tienes la cara limpia, [3] Manolín.
—Me alegro mucho, [4] mamá.
—Pero tienes las manos muy sucias. [5]
—Sí, mamá.
—¿Cómo te las ensuciaste? [6]
—Lavándome la cara, [7] mamá.

Preguntas

1. ¿Dónde están sentados Manolín y su mamá?
2. ¿Qué están haciendo?
3. ¿Cómo tiene la cara Manolín?
4. ¿Cómo están sus manos?
5. ¿Cómo se ensució las manos Manolín?

Expresiones útiles:

(a) Los dos están sentados. *The two are seated.*
(b) Están comiendo. *They are eating.*

EXERCISES

I. **Word Study** — Match the meaning of the following Spanish and English words:

sentado	*son*
comer	*dirty*
hijo	*table*
limpio	*seated*
sucio	*how*
cara	*eat*
mesa	*clean*
cómo	*face*

---

[1] la explicación *the explanation*   [2] Manolín *Manny*   [3] limpio *clean*   [4] Me alegro mucho. *I am very glad.*   [5] sucio *dirty*   [6] ¿Cómo te las ensuciaste? *How did you dirty them?*   [7] Lavándome la cara *Washing my face*

11

II. Comprehension – Complete the sentences with the appropriate word: *algo, comiendo, hijo, limpia, limpias, decir, mamá, Manolín, mesa, sucias*

1. Manolín tiene la cara —.
2. El muchacho tiene las manos —.
3. Los dos están sentados a —.
4. La mamá le dice algo a —.
5. Manolín y su mamá están —.
6. Las manos de su mamá están —.
7. La madre desea hablar con su —.
8. El hijo desea — algo.

III. Useful Expressions – What do the sentences in Spanish mean in English?

1. Estamos sentados a la mesa.   *How did you get them dirty?*
2. Los dos están comiendo.   *I am washing my hands.*
3. Tiene las manos limpias.   *We are seated at the table.*
4. ¿Cómo te las ensuciaste?   *The two are eating.*
5. Estoy lavándome las manos.   *His hands are clean.*

IV. Series

(a) Read aloud several times:

1. Tengo las manos sucias.   *I have dirty hands.*
2. Voy al baño.   *I go to the bathroom.*
3. Me lavo las manos y la cara.   *I wash my hands and face.*

(b) Complete the following:

María tiene . . .	No tengo . . .	Usted no tiene . . .
Va a . . .	No voy . . .	No va . . .
Se lava . . .	No me lavo . . .	No se lava . . .

V. Verbs – Complete the following sentences:

(a) Manolín está sentado a la mesa. *Manny is seated at the table.*

Yo . . .
Nosotros . . .
Ellos . . .
Usted . . .
Tú . . .

(b) Yo voy a comer.   *I am going to eat.*
        hablar.
        comprar.
        responder.
        salir.
        escribir.

VI. Oral Composition

Give a summary of the story, using the five questions after the anecdote as the outline.

Alumnos obedientes

Lugar: en una clase de una escuela elemental.

Los alumnos quieren mucho a la maestra,[a] pero esa mañana están haciendo mucho ruido. Entonces ella les dice así:

—¡Niños! ¿Quieren hacer el favor de estarse callados?[b] ¡A ver![1] ¡A guardar silencio[2] absoluto![c] ¡Ahora mismo![3] Quiero poder oir hasta el ruido de un alfiler[4] al caer.[d]

Se produce[5] el silencio pedido.[6] Después de algunos minutos, uno de los alumnos grita[7]:

—¡Señorita! ¡Tire[8] el alfiler!

Preguntas

1. ¿A quién quieren mucho los alumnos?
2. ¿Qué le dice la maestra a los niños cierto día?
3. ¿Qué quiere oir la maestra?
4. ¿Qué se produce en la clase?
5. ¿Qué grita uno de los alumnos?

Expresiones útiles:

(a) Los alumnos quieren a su maestra. *The pupils like their teacher.*

(b) ¿Quieren hacer el favor de estarse callados? *Would you please be silent?*

(c) Usted debe guardar silencio absoluto. *You must keep absolutely silent*

(d) Al caer el alfiler, quiero oírlo. *When the pin drops, I want to hear it.*

EXERCISES

I. **Word Study** — In this story you have guessed some words because they were nearly like the English words, for example:

obediente, clase, absoluto. See how many more words like these you can find in the story.

---

[1] ¡A ver! *Let's see!* [2] A guardar silencio, (a callarse) *Let's keep silence* [3] Ahora mismo *right now* [4] un alfiler *a pin* [5] se produce *is produced* [6] **pedido** *requested* [7] gritar *to shout, cry out* [8] ¡Tire! *Drop!*

15

II. Comprehension – Are the following sentences true or false? If they are false, correct them.

1. Los alumnos están sentados en la clase.
2. Cierto día la maestra le dice a la clase.
3. Los alumnos no quieren a su maestra.
4. La maestra quiere oir el ruido de un alfiler al caer.
5. Todos guardan un silencio absoluto.
6. Un alumno tira el alfiler al suelo.
7. Algunos alumnos no guardan silencio.
8. Ellos no deben estarse callados.
9. Uno de los alumnos le grita a la maestra.
10. Unos alumnos hablan con su maestra.

III. Useful Expressions – Choose the English meaning of the following sentences:

1. ¿Quiere usted a su madre?   *Philip is about to shout.*
2. No guardo silencio aquí.   *They have to study.*
3. Cuando la maestra habla, presto atención.   *Do you love your mother?*
4. Felipe está a punto de gritar.   *I don't keep quiet here.*
5. Ellos tienen que estudiar.   *When the teacher speaks, I pay attention.*

IV. Series

(a) Read aloud several times:

1. Los alumnos están en la clase.   *The pupils are in the class.*
2. Ellos preguntan algo a la maestra.   *They ask something of the teacher.*
3. Reciben la respuesta de la maestr-   *They receive the answer from the teacher.*

(b) Complete the following:

Todos están . . .	Luisa está . . .	Usted está . . .
Preguntan . . .	Pregunta . . .	Pregunta . . .
Reciben . . .	Recibe . . .	Recibe . . .

V. Verbs – Choose the correct verb form to complete the sentence:

1. La maestra — a sus alumnos.
   a. queremos b. quiere c. quieren d. quiero
2. Los niños — estarse callados.
   a. debo b. deben c. debes d. debemos
3. Un alumno — algo a la maestra.
   a. decís b. decimos c. dice d. dicen
4. No todos — en la clase.
   a. estás b. estamos c. estoy d. están
5. ¿Quién — la maestra aquí?
   a. soy b. sois c. son d. es

Carlitos[1] dice la verdad

Escena: En el comedor de la casa.

Personajes[2]: La mamá y Carlitos.

La mamá. — ¡Carlitos, te has comido[3] todo el pastel![4] ¡Qué lástima![a] No has pensado en[b] tu hermanita.[5]

Carlitos. — No es verdad, mamá. He estado pensando en ella[6] mientras me lo comía. ¡Y qué miedo tenía![7] Creía que ella iba a llegar[8] antes de terminar de comérmelo.[9]

Preguntas

1. ¿Quiénes hablan?
2. ¿Dónde están Carlitos y su mamá?
3. ¿Qué se ha comido Carlitos?
4. ¿En quién no ha pensado, según[10] la mamá?
5. ¿Dice Carlitos la verdad o no?

Expresiones útiles:

(a) ¡Qué lástima! *What a pity!*
(b) No has pensado en ella. *You have not thought of her.*

EXERCISES

I. Word Study — Match the words in Spanish with their corresponding meaning in English:

pastel	*little sister*
decir	*pity*
terminar	*eat up*
comedor	*truth*
hermanita	*end*
comerse	*tell*
lástima	*cake*
verdad	*dining room*

---

[1] Carlitos *Charlie* [2] el personaje *character* [3] te has comido *you have eaten up* [4] el pastel *cake* [5] la hermanita *little sister* [6] he estado pensando en ella *I have thought of her* [7] ¡Qué miedo tenía! *How scared I was!* [8] creía que ella iba a llegar *I thought she would come* [9] antes de terminar de comérmelo *before I finished eating it up* [10] según *according to*

II. Comprehension – Complete the following sentences according to the text:

1. Carlitos se ha comido —.
2. Ha pensado en —.
3. ¿Quiénes están —?
4. — hablan de algo importante.
5. El está en — con su madre.
6. La mamá dice algo a —.
7. El hijo contesta a —.
8. La madre quiere hablar con —.

III. Useful Expressions – Form new sentences based on the models:

1. Te has comido el pastel.   *You have eaten up the cake.*
           la banana.
           la manzana.
           las peras.

2. ¡Qué lástima!   *What a pity!*
    pastel
    casa
    hombre

3. ¡No has pensado en Carlitos! *You have not thought of*
              tu madre!   *Charlie!*
              su hermanita!
              tus hermanos!

4. Yo digo la verdad.   *I tell the truth.*
    Usted . . .
    Nosotros . . .
    Ellos . . .

IV. Series – Repeat the series in the present with the subject *usted* and *él:*

1. (Yo) veo el pastel, lo cojo y me lo como.
2. (Usted)
3. (El)

20

V. Dialog — Memorize and dramatize:

—¿Quién eres tú? / *Who are you?*

—Soy Carlitos López. / *I am Charlie Lopez.*

—¿Qué has hecho? / *What have you done?*

—Me he comido todo el pastel. / *I have eaten up the whole cake.*

—¡Qué lástima! No has pensado en tu hermanita. / *What a pity! You haven't thought of your little sister.*

En un hotel

Escena: La oficina[1] de un hotel.
Personajes: El empleado[2] del hotel y un viajero.[3]

Viajero.—¿Habla usted inglés?
Empleado.—No, señor.
Viajero.—¿Habla usted francés?
Empleado.—No, señor.
Viajero.—¿Habla usted alemán?
Empleado.—No señor, aquí se habla sólo[4] español.[a]
Viajero.—Pero en el letrero[5] dice: *Se habla inglés,*[b] *francés y alemán.* Entonces,[6] ¿quiénes hablan inglés, francés y alemán?
Empleado.—Los viajeros, señor.

Preguntas

1. ¿Quiénes son los personajes de esta escena?
2. ¿Quién pregunta?
3. ¿Quién contesta?
4. ¿Qué dice el letrero?
5. ¿Quiénes hablan inglés, francés y alemán?

Expresiones útiles:

(a) Aquí se habla sólo español.   *Only Spanish is spoken here.*
(b) Se habla inglés.   *English is spoken.*

EXERCISES

I. **Word Study** — Match the meaning of the words in Spanish with those given in English:

---

[1] la oficina *the office*   [2] el empleado *clerk, employee*   [3] el viajero *traveler*
[4] sólo *only*   [5] el letrero *sign*   [6] entonces *then*

A	B
viajero	*hear*
oficina	*after*
limpio	*only*
letrero	*sign*
entonces	*dirty*
oir	*traveler*
cara	*clean*
sólo	*office*
después de	*noise*
sucio	*then*
ruido	*face*

II. Comprehension — Complete the following sentences:

1. Yo hablo con el empleado en . . .
2. La escena ocurre en . . . de Madrid.
3. Los personajes son . . .
4. Los viajeros contestan en . . .
5. El letrero dice: Aquí se . . .
6. Quiero hablar con los . . .
7. El empleado contesta que . . .
8. En el hotel sólo se habla . . .
9. Ellos preguntan en . . . o en . . .
10. Muchos viajeros hablan . . .

III. Series — Repeat the series with *usted, él, el señor López:*

1. Entro en un hotel.
2. Pregunto al empleado.
3. ¿Habla usted español?

IV. Verbs — Choose the correct verb form in the present and complete the sentence:

1. El viajero le — al empleado.
   a. preguntó b. preguntan c. pregunto d. pregunta
2. El empleado les — algo a los viajeros.
   a. dicen b. decís c. digo d. dice
3. Los viajeros — contestar en español.
   a. quieren b. quieres c. quiero d. queremos
4. ¿Dónde — los viajeros?
   a. estoy b. están c. estás d. estamos
5. Usted no — el empleado del hotel.
   a. soy b. son c. es d. eres

V. Dialog — Memorize and dramatize:

Empleado.—
    ¿En qué puedo servirle?   *What can I do for you?*

Viajero.—
    Necesito una habitación
       individual.   *I need a single room.*

Empleado.—
    Tengo varias. ¿En qué piso la   *I have several. On what floor*
       quiere?   *do you want it?*

Viajero.—
    El piso no importa.   *The floor is not important.*

Peor que el terremoto [1]

La familia Montes vivía[2] cerca del volcán Izalco,[o] en El Salvador,[x] país centroamericano. Cierto día hubo[3] un terremoto. Fue[4] tan violento que destruyó[5] la casa de los Montes. Para evitarle inconvenientes[6] a su hijo Juanito, lo mandaron[7] a vivir con su tía. Esta[8] vivía en una ciudad de la costa del Pacífico.

Después de algunos días, los padres de Juanito recibieron[9] un telegrama que decía[10]:

—Les devuelvo a Juanito; mándenme el terremoto.

Preguntas

1. ¿Dónde está el volcán Izalco?
2. ¿Qué fue lo que destruyó la casa de los Montes?
3. ¿A quién mandaron a vivir con su tía?
4. ¿Dónde vivía la tía de Juanito?
5. ¿Qué decía el telegrama?

EXERCISES

I. **Word Study** — Match the words of column A with their opposites in column B.

A	B
vivir	*dar*
cerca de	*noche*
después de	*recibir*
alguno	*morir*
recibir	*construir*
mandar	*ninguno*
destruir	*lejos de*
día	*antes de*

---

[1] Peor que el terremoto *worse than the (an) earthquake* [2] vivía *lived* [3] hubo *there was* [4] fue *it was* [5] destruyó *destroyed* [6] evitarle inconvenientes *spare him inconveniences* [7] mandaron *sent* [8] Esta *she, the latter* [9] recibieron *received* [10] decía *said, read*

[o] Izalco, most active volcano in Central America. It is visible from land and sea for a considerable distance and called "the lighthouse of the Pacific."

[x] El Salvador, the smallest and most densely populated republic in Central America. It is situated on the Pacific coast where there is a narrow plain and then a high central plateau with several active volcanoes. The most important product is coffee. Its capital is San Salvador.

II. Comprehension — Place the following sentences in the proper sequence:

1. Su tía vive en la costa del Pacífico.
2. Los padres lo mandan a vivir con su tía.
3. Después de algunos días los padres reciben un telegrama.
4. Los personajes son: los padres, Juanito y su tía.
5. La familia Montes vive cerca del volcán Izalco.
6. Cierto día hay un violento terremoto.
7. El telegrama dice: — Les devuelvo a Juanito; mándenme el terremoto.
8. El volcán Izalco está en El Salvador.

III. Useful Expressions — Change the subject in the following sentences.

1. Vivo cerca del hotel. *I live near the hotel.*

Ella	El	El muchacho
Nosotros	El señor	Un alumno

2. No como en la casa de mi tía. *I don't eat at my aunt's house.*

Tú	Ustedes	Tomás
Ellos	María	La mujer

3. No hago sufrir a nadie. *I don't make anybody suffer.*

Nosotros	todos	Ellos
María	El	Usted

4. Voy a vivir con mi amigo López. *I am going to live with my friend Lopez.*

Alguno	Nosotros	Tú
Ustedes	Ellas	Usted

IV. Series — Repeat the series with the subjects *usted, nosotros,* and *yo:*

1. La familia recibe un telegrama.
2. Juanito va a vivir con su tía.
3. Prefiere vivir con sus padres.

28

V. Dialog — Memorize and dramatize:

1. ¿Conoce usted un volcán activo?   *Do you know an active volcano?*
2. Sí, el Izalco, en El Salvador.   *Yes, the Izalco in El Salvador.*
3. ¿Le gustaría vivir allí?   *Would you like to live there?*
4. No, no me gustaría.   *No, I would not like it.*

Entre hermanos[1]

Isabelita[2] visita a su tía Ramona.[3] Pasa la tarde con ella. La niña quiere mucho a su tía. Es hora de despedirse de ella.[a] Esta le da dos dulces,[4] uno para ella y el otro para su hermano.

Al llegar a casa,[b] ve a su hermano, y le dice:

—Tía Ramona me ha dado un dulce para ti y otro para mí. Este es el mío,[5] — dice ella cogiendo[6] uno.

—¿Cómo lo sabes? — pregunta el hermano.

—Porque es el más grande.[7]

Preguntas

1. ¿A quién visita Isabelita?
2. ¿Con quién pasa la tarde?
3. ¿Qué le da a Isabelita la tía Ramona?
4. ¿Para quiénes son los dulces?
5. ¿Cuál de los dulces coge Isabelita?

Expresiones útiles:

(a) Es hora de depedirse de ella.   *It is time to take leave of her.*

(b) Al llegar a casa, abre la puerta.   *On reaching home, she opens the door.*

EXERCISES

I. **Word Study** — Match the words of column A with their opposites in column B.

A	B
con	*salir*
mucho	*contestar*
dar	*pequeño*
llegar	*morir*
preguntar	*antes de*
grande	*poco*
vivir	*recibir*
después de	*sin*

---

[1] Entre hermanos *between brothers or between brother and sister*   [2] Isabelita *Betty*   [3] Ramona *Ramona*   [4] el dulce *a piece of candy*   [5] Este es el mío. *This is mine.*   [6] cogiendo *taking*   [7] Porque es el más grande. *Because it's the bigger one.*

II. Comprehension — Tell whether the following sentences are true or false. Correct the false statements.

1. Isabelita no ve a su tía Ramona.
2. La niña pasa toda la tarde con su hermano.
3. La tía quiere mucho a Isabelita.
4. Al despedirse la tía le da dos dulces.
5. Uno de los dulces es grande y el otro es pequeño.
6. Isabelita da los dos dulces a su hermano.
7. Cierto día Isabelita visita a su tía.
8. Isabelita no vive con su tía Ramona.
9. La niña no quiere tomar el dulce más grande.
10. El hermano y la hermana quieren mucho a su tía.

III. Useful Expressions — Form new sentences based on the models:

1. Es hora de salir.   *It is time to go out.*
   bailar.
   beber.
   comer.
   escuchar.
   . . .

2. El quiere a su madre.   *He loves his mother.*
   sus hermanos.
   la señorita López.
   su profesor.
   mi tío.
   . . .

3. Al salir de casa él se pone el   *On leaving home he puts on his*
   sombrero.   *hat.*
       correr
       tomar el autobús
       cerrar la puerta
       despedirse
       . . .

4. Quiero despedirme de usted.   *I wish to take leave of you.*
       el señor Alba.
       la señora Ortiz.
       el presidente.
       la señorita Díaz.
       . . .

IV. Series

(a) Learn these sentences by heart and repeat them with the subjects *usted* and *nosotros:*
   1. Voy a ver a mi tía.   *I am going to see my aunt.*
   2. Paso la tarde con ella.   *I spend the afternoon with her.*
   3. Me da una caja de dulces. *She gives me a box of candy.*

(b) Complete the following series:

José va a . . .	Tú vas a . . .	La niña va a . . .
Pasa . . .	Pasas . . .	Pasa . . .
Recibe . . .	Recibes . . .	Recibe . . .

V. Dialog – Memorize and dramatize:

—¿Cuándo visitas a tu amigo Felipe?
When do you visit your friend Philip?

—Lo visito todos los domingos.
I visit him every Sunday.

—¿De qué habláis?
What do you talk about?

—Hablamos de deportes y de varias otras cosas.
We talk about sports and several other things.

Pronta respuesta

Esta mañana Jorgito[1] tiene prisa.[a] Llega a tiempo[b] a la escuela. La maestra ve que el muchacho tiene las manos sucias. Decide castigarlo.[2] Además, para humillarlo,[3] enseña a la clase su negra manita[4] diciendo:

—Mira, Jorgito, si me enseñas en toda la escuela una mano tan sucia como ésta, te perdono y te levanto el castigo.[5]

Jorgito se ríe.[6] La maestra se pone furiosa[7] y le pregunta:

—¿Por qué te ríes?[8]

Entonces Jorgito muestra la mano izquierda que tenía escondida[9] en el bolsillo. Y dice con tono triunfal:[10]

—Aquí la tiene usted, maestra.[11]

Preguntas

1. ¿Cuándo llega Jorgito a la escuela?
2. ¿Qué enseña la maestra a la clase?
3. ¿Qué le dice la maestra a Jorgito?
4. ¿Por qué se ríe Jorgito?
5. ¿Qué mano tiene escondida?

Expresiones útiles:

(a) Esta manaña tengo prisa.   *This morning I am in a hurry.*
(b) Todo el mundo llega a tiempo.   *Everybody arrives on time.*

EXERCISES

I. Word Study — Match the following words:

(a) Vocabulary

mañana	*besides*
mano	*pocket*
además	*tomorrow*
izquierdo	*hand*
bolsillo	*left*

---

[1] Jorgito *Georgie*   [2] decide castigarlo *she decides to punish him*   [3] para humillarlo *to humiliate him*   [4] la manita *little hand*   [5] te levanto el castigo *I'll not punish you*   [6] se ríe *laughs*   [7] se pone furiosa *becomes furious*   [8] te ríes *are you laughing*   [9] que tenía escondida *which he kept hidden*   [10] tono triunfal *victorious tone*   [11] Aquí la tiene usted, maestra. *Here it is, teacher.*

(b) Synonyms

enseñar	*responder*
respuesta	*caballero*
mandar	*mostrar*
contestar	*contestación*
señor	*enviar*

(c) Opposites

llegar	*contestar*
sucio	*llorar*
preguntar	*derecho*
reírse	*limpio*
izquierdo	*salir*

II. Comprehension — Complete the unfinished sentences to the left with the proper part to the right:

1. Los alumnos de la clase	*la escuela a tiempo.*
2. La escuela está	*que la otra.*
3. La maestra ve las manos	*por qué se ríe Jorgito.*
4. Todos los alumnos llegan a	*ven entrar a Jorgito.*
5. Ella quiere castigarlo porque	*más sucia que la otra.*
6. La señorita enseña las manos	*cerca de la casa de Jorgito.*
7. El muchacho tiene	*sucias de Jorgito.*
8. Una mano está más sucia	*él tiene las manos sucias.*
9. La maestra furiosa le pregunta	*de Jorgito a la clase.*
10. Jorgito enseña la mano que está	*las dos manos sucias.*

III. Useful Expressions — Form new sentences based on the models:

1. Siempre llego a tiempo. *I always arrive on time.*
    salgo
    entro
    termino
    regreso
    . . .

2. El señor Gómez tiene prisa. *Mr. Gomez is in a hurry.*
    Yo
    Nosotros
    Usted
    Manolo
    . . .

3. La maestra decide castigarlo. *The teacher decides to punish*
                darle algo.   *him.*
                perdonarlo.
                ayudarlo.
                llamarlo.

                . . .

4. Aquí tiene usted el dinero.   *Here is the money.*
                el libro.
                el disco.
                el sombrero.
                la silla.

                . . .

IV. Series — Repeat the series with the subjects *yo, nosotros, Juan y María:*

     1. La maestra ve llegar a Jorgito.
     2. Ella ve que tiene las manos sucias.
     3. Se las enseña a la clase.

V. Dialog — Memorize and dramatize:

     1. Enséñame las manos.   *Show me your hands.*
     2. No quiero hacerlo.   *I don't want to do it.*
     3. ¿Por qué no?   *Why not?*
     4. Porque tengo las manos   *Because I have dirty hands.*
        sucias.
     5. ¡Qué casualidad! Yo tam-   *What a coincidence! Mine are*
        bién las tengo sucias.   *also dirty.*

El sablista[1]

El sablista es la persona que pide dinero prestado[a] sin intención de devolverlo.[2] Hay sablistas en todas partes[b] y, principalmente, en las grandes ciudades.

Cierta vez, un sablista iba por las calles[3] de Madrid en busca de[4] una víctima. Frente al[5] Banco de España vio a un amigo suyo[6] que vendía castañas asadas.[7] En otoño y en invierno hacía buen negocio vendiendo castañas. Sin perder tiempo se acercó a[c] su amigo y le dijo:

—Chico,[8] te felicito. Veo que prosperas. Me alegro mucho[9] porque necesito que me prestes[10] cinco duros.

El vendedor lo miró de pies a cabeza[11] y le respondió:

—No puedo hacerlo, chico. Al instalarme[12] aquí firmé un contrato con el banco. Según dicho contrato quedamos en que[13] el banco no vendería[14] castañas, ni yo prestaría dinero a nadie.[15] Siento no poder ayudarte esta vez.

Preguntas

1. ¿Por dónde iba el sablista?
2. ¿En busca de quién iba?
3. ¿A quién vio?
4. ¿Cuánto necesitaba el sablista?
5. ¿Podía prestarle dinero el amigo al sablista?

Expresiones útiles:

(a) El amigo pide dinero prestado. *The friend borrows money.*
(b) Hay sablistas en todas partes. *There are parasites everywhere.*
(c) ¿Quién se acerca a su amigo? *Who approaches his friend?*

---

[1] el sablista *parasite, sponger* [2] devolverlo *to return it, give it back* [3] calles *streets* [4] en busca de *in search of* [5] frente a *in front of* [6] un amigo suyo *a friend of his* [7] castañas asadas *roasted chestnuts* [8] el chico *pal* [9] me alegro mucho *I am very glad* [10] necesito que me prestes *I want you to lend me* [11] de pies a cabeza *from head to foot* [12] al instalarme *when I placed myself* [13] quedamos en que *we agreed that* [14] no vendería *would not sell* [15] ni yo prestaría dinero a nadie *nor would I lend money to anyone*

EXERCISES

I. Word Study — Give each Spanish word its English meaning:

otoño	*vendor*	prestar	*look*
tiempo	*parasite*	ayudar	*foot*
cabeza	*city*	nadie	*winter*
vendedor	*autumn*	hacer	*lend*
ciudad	*chestnut*	pie	*need*
sablista	*business*	invierno	*help*
castaña	*head*	mirar	*do*
negocio	*time*	necesitar	*nobody*

II. Comprehension — Choose the proper word between the parentheses to complete the following sentences:

1. La anécdota — en Madrid, capital de España.
   (pide, vende, ocurre)
2. El sablista pide — prestado a su amigo.
   (calle, dinero, banco)
3. Ese tipo de hombre — en las grandes ciudades.
   (vive, abre, habla)
4. Esa persona — en busca de una víctima.
   (hace, va, presta)
5. El pobre hombre vende castañas frente al —.
   (banco, cabeza, contrato)
6. El sablista felicita a su —.
   (dinero, amigo, duro)
7. Los dos — de negocios.
   (dicen, ayudan, hablan)
8. El banco no puede — castañas.
   (dar, traer, vender)
9. El vendedor no — prestarle los cinco duros.
   (puede, quiere, sabe)
10. El — no puede prestar dinero a nadie.
    (ladrón, vendedor, personaje)

III. Useful Expressions — Form new sentences based on the models:

1. Pido dinero prestado a mi amigo.   *I borrow money from my friend.*

   un libro
   el bolígrafo *(ball point pen)*
   el periódico
   el auto
   . . .

40

2. El hombre se acercó al   *The man approached the bank.*
   banco.
   casa.
   ventanas.
   parque.
   edificios.
   . . .

3. En España hablan español.   *They speak Spanish in Spain.*
   hay bancos.
   hay sablistas.
   venden periódicos.
   se ve ese tipo.
   . . .

4. No vendí castañas asadas.   *I did not sell roasted chestnuts.*
   Usted
   Pablo
   Nosotros
   Todos
   . . .

IV. Series — Repeat the series with *usted, Luis y ellos* as subjects:

1. Voy en busca de mi amigo.
2. Lo veo frente a un banco.
3. Voy a hablarle.
4. Le pido prestado algún dinero.

V. Verbs — Choose the correct verb form in the present and past for the following:

1. No pude hacer eso.   *I could not do that.*
      a. usted   b. nosotros
      c. Isabel   d. ellos

2. Quise vender mi auto.   *I wanted to sell my car.*
      a. José   b. usted
      c. él   d. todos

3. Escribí una carta al amigo   *I wrote a letter to my friend*
   López.   *Lopez.*
      a. nosotros   b. tú
      c. usted   d. ellos

4. Usted tuvo que ayudar a   *You had to help this man.*
   este hombre.
      a. yo   b. nosotros
      c. ustedes   d. alguien

En busca de un apartamento[1]

Escena: Una oficina del gobierno.

Personajes: Un encargado[2] y el señor Osorio.

Osorio. —Buenos días, señor.[3]

Encargado. —Buenos días, ¿en qué le puedo servir?

Osorio. —¿Es aquí donde hay que[a] pedir informes[b] para conseguir[4] un apartamento?

Encargado. —Sí, señor.

Osorio. —¡Ah, por fin![c] ¡Gracias a Dios![5]

Encargado. —¿Qué clase de apartamento busca usted?

Osorio. —Busco uno de cuatro habitaciones: sala, cocina, dormitorio y baño.[6]

Encargado. —Primero hay que llenar un formulario.[7] Aquí está.[8]

Osorio. —Con mucho gusto.[9] ¿Hay un apartamento libre[10] de esa clase?

Encargado. —Por ahora,[11] no. Tiene que esperar[d] a que le toque el turno.[12]

Osorio. —Me parece muy bien.[13] ¿Cuándo debo volver por aquí?

Encargado. —El apartamento que usted busca es muy difícil de encontrar. Vuelva usted el año que viene.[14]

Osorio. —Muy bien, señor. ¿Por la mañana o por la tarde?[15]

---

[1] el apartamento (in Spain, "piso" or "apartamiento") *apartment*   [2] el encargado *officer, clerk*   [3] Buenos días, señor *Good morning, sir*   [4] conseguir *to obtain*   [5] ¡Gracias a Dios! *Thank goodness!*   [6] el baño *bathroom*   [7] el formulario *form, application*   [8] Aquí está. *Here it is.*   [9] Con mucho gusto. *Gladly, with pleasure.*   [10] libre *vacant*   [11] por ahora *for the present*   [12] esperar a que le toque el turno *to wait until your turn comes*   [13] Me parece muy bien. *That is fair enough.*   [14] Vuelva usted el año que viene. *Come back next year.*   [15] por la mañana (la tarde) *in the morning (afternoon)*

Preguntas

1. ¿Dónde ocurre esta escena?
2. ¿Qué busca el señor Osorio?
3. ¿A dónde va para pedir informes?
4. ¿Qué clase de apartamento busca?
5. ¿Cuánto tiempo debe esperar para volver a la oficina?

Expresiones Utiles:

(a) Hay que buscar un apartamento.

*One must look for an apart-
ment.*

(b) Quiero pedir informes.

I want to ask for information.

(c) Por fin, llené el formulario.

At last, I filled the application.

(d) Tiene que esperar.

You have to wait.

EXERCISES

I. Word Study — Match the meaning of the Spanish and English
words:

encargado	*room*
conseguir	*return*
apartamento	*kitchen*
llenar	*apartment*
volver	*officer, clerk*
mañana	*obtain*
habitación	*fill out*
cocina	*morning*

II. Useful Expressions — What do the following sentences in Spanish
mean in English?

1. Voy a verlo el año que viene.

At last we have arrived.

2. ¿Cuándo vuelve usted por
aquí?

That is fair enough.

3. Ahora le toca a usted el
turno.

Is there a vacant apartment?

4. Ellos van a hacerlo con
mucho gusto.

*I am going to see him next
year.*

5. ¿Es aquí dónde se piden
informes?

*When will you come back
here?*

6. Por fin hemos llegado.

They are going to do it gladly.

7. ¿Hay un apartamento libre?

Now it is your turn.

8. Me parece muy bien.

*Is it here that one asks for in-
formation?*

III. Comprehension — Complete the unfinished sentences to the left with the proper part taken from the column to the right:

1. Estamos en una	*cerca de la oficina?*
2. ¿Es aquí dónde	*volver por aquí?*
3. Buscamos un apartamento	*el año que viene.*
4. Tengo que llenar	*debe esperar mucho.*
5. ¿En qué mes debo	*oficina del gobierno.*
6. Es difícil ir	*apartamento de esa clase.*
7. Voy a volver	*de cuatro habitaciones.*
8. ¿Vive la familia Osorio	*pedimos informes?*
9. El pobre hombre	*un formulario difícil.*
10. Quiero conseguir un	*en busca de un apartamento.*

IV. Series — Repeat the series with *don Francisco, nosotros,* and *usted* as subjects:

1. Busco un apartamento.	*I am looking for an apartment.*
2. Voy a una oficina del gobierno.	*I go to a government agency.*
3. Pido informes al empleado.	*I ask the officer for information.*
4. No recibo informes del empleado.	*I don't get any information from the clerk.*

V. Oral and Written Composition — Pupils ask each other:

1. Is his family looking for an apartment?
2. On what street must it be?
3. How many rooms does his family need?
4. Must the house have an elevator (*ascensor*)?

45

Paciente raro

Escena: En el consultorio.

Personajes: El médico y un paciente.

(Se oye a alguien que llama a la puerta.)

Médico. —¡Adelante![1]

Paciente. —Buenos días, doctor.

Médico. —Buenos días, caballero. Tome asiento.[a]

Paciente. —Muchas gracias.

Médico. —Bueno, ¿qué le ocurre?[b]

Paciente. —Usted dispense, doctor.[2] Eso es lo que usted tiene que averiguar.[3] Para eso[c] le pago. *(Responde el paciente con insolencia.)*

Médico. —Pero señor, ¿cómo voy a averiguar lo que tiene? ¿No ve usted que tengo que hacerle algunas preguntas[d] para determinar la causa de su enfermedad?[4]

Paciente. —Pues yo no voy a contestar a ninguna de sus preguntas.

Médico. —En ese caso, . . . usted perdone un momento. Voy a telefonear[5] a un veterinario.[6] Es el único médico que conozco que puede diagnosticar[7] sin necesidad de hacer preguntas.

Preguntas

1. ¿De quiénes se habla?
2. ¿A dónde va el paciente?
3. ¿Qué le pregunta el médico?
4. ¿Quién no quiere contestar?
5. ¿Por qué tiene que ver el paciente a un veterinario?

---

[1] ¡Adelante! *Come in!* [2] Usted dispense, doctor. *Excuse me, doctor.* [3] usted tiene que averiguar *you have to ascertain (find out)* [4] la enfermedad *sickness* [5] telefonear *to telephone* [6] el veterinario *veterinarian, horse doctor* [7] diagnosticar *to diagnose*

Expresiones útiles:

    (a) Tome asiento.   *Take a seat. Be seated.*
    (b) ¿Qué le ocurre?   *What is wrong with you?*
    (c) Por eso no contesto.   *That is why I do not answer.*
    (d) Quiero hacerle una pregunta. *I want to ask you a question.*

EXERCISES

I. Word Study — Match the following words:

(a) Vocabulary

asiento	*sickness*
dispensar	*thanks*
enfermedad	*call*
gracias	*seat*
llamar	*excuse*

(b) Synonyms

dispensar	*contestar*
alguien	*doctor*
responder	*enfermo*
médico	*perdonar*
paciente	*alguno*

(c) Opposites

pregunta	*ninguno*
alguien	*preguntas*
contestar	*malo*
alguno	*nadie*
bueno	*respuesta*

II. Comprehension — Rearrange the following sentences so as to give a summary of the story:

1. El paciente tiene que ver al médico.
2. El médico desea hacer unas preguntas al paciente.
3. El enfermo no quiere contestar ninguna pregunta.
4. El médico va a telefonear a un veterinario.
5. Alguien llama a la puerta.
6. Luego los dos están en el consultorio. ·
7. El médico no puede averiguar lo que tiene.
8. Es un hombre muy enfermo.

III. Series – Repeat the series in the present with the subjects *usted, mi padre* and *Carlos:*

1. Voy al consultorio del doctor Pérez.
2. Le digo cómo me siento.
3. Contesto a sus preguntas.
4. Recibo una receta de él.
5. Salgo del consultorio.

IV. Dialog – Memorize and dramatize:

—Tome asiento, señor.	*Take a seat, sir.*
¿Qué le ocurre?	*What is wrong with you?*
—No me siento bien.	*I don't feel well.*
Tengo dolores por todo el cuerpo.	*I ache all over.*
—Tome esta receta y guarde cama dos o tres días.	*Take this prescription and stay in bed two or three days.*

V. Language Structure – For each of the following sentences choose the correct form:

1. El médico ve — paciente.
   a. en   b. al   c. del   d. por

2. El paciente — en el consultorio.
   a. son   b. es   c. estoy   d. está

3. El doctor López — algunas preguntas.
   a. hacemos   b. hace   c. haces   d. hago

4. El señor Ortega no ve a —.
   a. nada   b. nunca   c. ningún   d. nadie

5. — escribe una receta.
   a. Le   b. Lo   c. La   d. Los

6. El hombre va a — al médico.
   a. caer   b. comer   c. ver   d. entrar

7. Los dos están — el consultorio.
   a. en   b. por   c. de   d. para

8. El médico y el paciente son —.
   a. viejos   b. vieja   c. viejo   d. viejas

El vecino[1] cortés

En la gran ciudad hay muchas personas que están expuestas[2] a toda clase de abusos. En la época actual[3] esto pasa particularmente a los inquilinos[4] de casas de apartamentos. La música o el ruido de la radio o del fonógrafo dará mucho placer a algunos, pero bastante molestia[5] a otros. Vamos a citar un caso.[6]

Son las once de la noche.[a] Hace siete horas que el inquilino de un apartamento escucha un disco[b] tras otro en su fonógrafo. Ha molestado a casi todos los inquilinos de la casa. En esto[7] alguien llama a la puerta. Es el hijo de uno de los vecinos, que le dice:

—Mamá me envía para ver si usted puede hacernos un gran favor.

—Con muchísimo gusto.[8] ¿En qué puedo servir a su mamá?[c]

—¿Tiene usted la amabilidad de prestarnos[9] su fonógrafo?

—¿Cómo, chico? ¿Prestarles el fonógrafo? ¿A estas horas? ¿Quieren ustedes bailar a estas horas de la noche?

—No, señor, —contesta el muchacho —lo que[10] queremos hacer es dormir.

Preguntas

1. ¿A qué están expuestas muchas personas?
2. ¿Quién escucha discos?
3. ¿Por cuántas horas escucha discos?
4. ¿Quiere la familia del muchacho bailar o dormir?

Expresiones útiles:

(a) Son las once de la noche.	*It is eleven o'clock at night.*
(b) Hace siete horas que un inquilino escucha discos.	*For seven hours a tenant has been listening to records.*
(c) ¿En qué puedo servirle a su mamá?	*What can I do for your mother?*

---

[1] el vecino *neighbor*   [2] expuesto *exposed*   [3] actual *present*   [4] el inquilino *tenant*   [5] la molestia *trouble*   [6] el caso *example*   [7] en esto *in the meantime*   [8] con muchísimo gusto *with great pleasure*   [9] ¿Tiene usted la amabilidad de prestarnos? *Will you be good enough to lend us?*   [10] lo que *what*

51

EXERCISES

I. Word Study — Match the following words:

(a) Vocabulary

ruido	*lend*
alguien	*dance*
vecino	*noise*
prestar	*somebody*
bailar	*neighbor*

(b) Synonyms

actual	*madre*
enviar	*muchacho*
mamá	*responder*
chico	*mandar*
contestar	*presente*

(c) Opposites

placer	*ninguno*
contestar	*temprano*
alguno	*nadie*
alguien	*molestia*
tarde	*preguntar*

II. Comprehension — Complete the unfinished sentences to the left with the proper part to the right:

1. La música de la radio	*a la puerta del vecino.*
2. Nosotros vivimos en	*prestar su fonógrafo*
3. El muchacho llama	*no puede vivir allí.*
4. La madre no envía	*una casa de apartamentos.*
5. El inquilino no quiere	*de un apartamento grande.*
6. Un hombre bueno	*ayudar a todos.*
7. Todos quieren vivir	*un fonógrafo allí.*
8. Ellos van en busca	*algo a su vecino.*
9. Mi amigo quiere	*no es siempre buena.*
10. Usted necesita comprar	*en aquella casa.*

III. Useful Expressions — Form new sentences based on the models:

1. Estoy expuesto a muchos abusos.   *I am exposed to many abuses.*

   Ella
   Todos
   Nosotros
   Usted
   . . .

2. No quiero bailar ahora.   *I don't want to dance now.*
     necesito
     deseo
     tengo que
     me gusta
     . . .

3. Vamos a ver al vecino.   *Let us see the neighbor.*
            muchacho.
            inquilino.
            maestro.
            hombre.
            . . .

4. Hace un año que vivo aquí.   *I have been living here a year.*
                él
                nosotros
                los dos
                usted
                . . .

IV. Verbs — Change the following sentences from the simple past to the present:

1. Yo viví en una casa de apartamentos.
2. Nosotros compramos un fonógrafo en aquella tienda.
3. Algunos inquilinos escucharon los discos.
4. Todo el mundo compró discos en esta tienda.
5. El vecino no respondió al muchacho.
6. ¿Le gustaron los discos del vecino?
7. ¿Dónde compraron esos discos de música popular?
8. El muchacho salió de su apartamento.

V. Series

(a) Repeat the series in the present with the subjects *nosotros, usted, Pedro y María:*
1. Entro en una casa de apartamentos.
2. Subo al segundo piso.
3. Llamo a la puerta.
4. Nadie responde.

(b) Change the series from the present to the simple past.

¿Por qué no habló?

Escena: La sala de un apartamento moderno.

Personajes: El señor Rodríguez, que acaba de regresar[a] de un viaje por la selva[1] del Amazonas,[x] y su esposa.

Ella. — ¿Qué tal fue el viaje al Brasil?[o]

El. — ¡Maravilloso! ¡Qué país más grande![b]

Ella. — A propósito,[c] muchas gracias por el regalo[2] que me enviaste.

El. — Iba a preguntarte si recibiste el loro.[3]

Ella. — ¡Cómo no![4]

El. — ¿Qué te pareció?[5]

Ella. — Estaba riquísimo[6] ...

El. — ¿Qué?

Ella. — Que estaba riquísimo . . . Me lo comí con unas patatas fritas[7] ...

El. — Pero, ¿qué has hecho, tonta? ¡Ese loro era un pájaro extraordinario! ¡Hablaba diez idiomas![8]

Ella. — ¡Diez idiomas y no dijo nada! Pobre pájaro, ¡cuánto lo siento![d] ¿Por qué no me lo dijo?

Preguntas

1. ¿Quién fue al Brasil?
2. ¿Qué clase de país es el Brasil?

---

[1] la selva *forest, jungle* [2] el regalo *present, gift* [3] el loro *parrot* [4] ¡Cómo no! *Of course, surely!* [5] ¿Qué te pareció? *What did you think of it?* [6] Estaba riquísimo. *It was very tasty.* [7] patatas fritas *fried potatoes* [8] el idioma *language*

[x] Amazon river is the largest in volume, carrying more water than any other river in the world. It is situated in Brazil and is more than 4,000 miles long. It has its source in the Peruvian Andes and empties into the Atlantic Ocean. It is believed to be the longest river in the world. Its many tributaries flow through unexplored tropical forests.

[o] Brazil is the largest republic in South America. Its people of Portuguese, Indian, and Negro origin, form half of the population of South America. Brazil's enormous mineral wealth produces gold, diamonds, silver, iron, manganese, and coal. Its main products are coffee, cotton, sugar, bananas, and corn. Cattle raising is the major industry in the country. Its principal cities are Rio de Janeiro, Sao Paulo, Bahia, Santos, and Brasilia, the capital. There are also great areas of swamps and dense jungles, home of snakes, insects and primitive tribes.

3. ¿Qué clase de pájaro envió el señor Rodríguez a su esposa?
4. ¿Qué se comió la señora Rodríguez?
5. ¿Por qué era el loro un pájaro extraordinario?

Expresiones útiles:

(a) El señor Rodríguez acaba de regresar. Mr. Rodriguez has just returned.
(b) ¡Qué país más grande! What a large country!
(c) A propósito, ¿quién es usted? By the way, who are you?
(d) ¡Cuánto lo siento! How sorry I am!

EXERCISES

I. Word Study — Match the words to the left with their opposites on the right:

moderno	poco
regresar	pobre
grande	venir
mucho	algo
enviar	listo
preguntar	ir
rico	antiguo
ir	pequeño
tonto	recibir
nada	contestar

II. Comprehension — Rearrange the words to make sentences which are related to the story:

Model—Rodríguez, el, se, loro, la, comió, señora.
La señora Rodríguez se comió el loro.
1. Brasil, señor, vivió, el, Rodríguez, el, en.
2. maravilloso, un, es, loro, el, animal.
3. Amazonas, grande, el, muy, Brasil, del, río, un, es.
4. un, envió, él, a, esposa, su, regalo.
5. comió, extraordinario, ella, pájaro, ese, se.
6. habló, la, dijo, esposa, pájaro, el, no, que.

III. Useful Expressions — Form new sentences based on the models:

1. Acabo de llegar. *I have just arrived.*
    escribir la carta.
    comer algo bueno.
    comprar esto.
    hacerlo.
    . . .

56

2. A propósito, ¿qué quieres?   *By the way, what do you want?*
   ¿cómo se llama?
   ¿dónde vive usted?
   ¿por qué comes tanto?
   ¿qué día es hoy?
   . . .

3. ¡Qué país más grande!   *What a big country!*
   casa
   animal
   cuartos
   escuela
   . . .

4. ¡Cuánto lo siento! No puedo   *How sorry I am! I can't help*
ayudarlo.   *you.*
   Eso no es verdad.
   ¿Estás muy enfermo?
   ¿No puede hablar?
   ¿No tiene dinero?
   . . .

IV. Series — Repeat the series with *mi amigo, María, usted y nosotros* as subjects.

1. Regreso del Brasil en avión.
2. Llego a los Estados Unidos.
3. Telefoneo a mi familia.
4. Todos llegan al aeropuerto.
5. Voy a casa con ellos.

V. Language Structure — Say these sentences completely in Spanish:

1. ¿Está su apartamento en —? *(this street)*
2. Le doy las gracias — su regalo *(for).*
3. ¿Cuándo — el loro? *(did you receive)*
4. ¿La puerta del apartamento —? *(is closed)*
5. La puerta y las ventanas — *(are open).*
6. — muchos ríos en el Brasil *(There are).*
7. Los cuartos del apartamento son — *(very large).*
8. ¿ — se llama este país? *(How)*
9. La esposa va a dar las gracias a — *(her husband).*
10. Nadie — eso del loro *(can say).*

57

Buen profesor

Una buena memoria es muy necesaria en la vida moderna. El tener[1] mala memoria puede hacer la vida difícil y aun desagradable.[2] Por eso la buena señora Filomena Morales se dio cuenta de[a] todos los inconvenientes de tener mala memoria. Como es muy aficionada al estudio,[b] decidió buscar un profesor para mejorar la memoria. Puso un anuncio en el periódico local. A los pocos días[c] se presentó[3] en la casa de la señora el profesor Buenamemoria, quien le explicó en detalle,[4] las ventajas[5] de su especialidad.

—Distinguida señora, empleo un método infalible[6] para no olvidarse de nada. Con mi método lo recordará todo. Le aseguro que, de hoy en adelante,[d] la cuestión de olvidar las cosas está resuelta.[7] No tendrá que preocuparse de[8] las cosas que quiere recordar.

Después de la primera lección la discípula[9] quedó encantada[10] de las recomendaciones. Pero apenas se había despedido el profesor,[11] cuando llamaron a la puerta.

—¿Quién es, María? —pregunta la señora Morales a su criada.

—Señora, es el profesor Buenamemoria que se le olvidó[12] su paraguas.

Preguntas

1. ¿Qué es necesario en la vida moderna?
2. ¿Qué decidió hacer la señora Morales?
3. ¿Quién le explicó las ventajas de una buena memoria?
4. Después de la primera lección, ¿quién llamó a la puerta?
5. ¿Qué se le había olvidado al profesor Buenamemoria?

---

[1] el tener *to have*   [2] desagradable *unpleasant*   [3] se presentó *there appeared*   [4] el detalle *detail*   [5] la ventaja *advantage*   [6] infalible *infallible, sure*   [7] resuelto *solved*   [8] no tendrá que preocuparse de *you will not have to worry about*   [9] la discípula *student, pupil*   [10] encantado *delighted, fascinated*   [11] se había despedido el profesor *had the teacher left*   [12] que se le olvidó *who forgot*

Expresiones útiles:

(a) La señora se da cuenta de eso. — *The lady realizes that.*
(b) Ella es aficionada al estudio. — *She is fond of studying.*
(c) A los pocos días, él se presentó allí. — *After a few days he appeared there.*
(d) De hoy en adelante, todo está resuelto. — *From today on, everything is solved.*

EXERCISES

I. Word Study — Find the Spanish cognate of the following words: Mary, memory, lesson, question, method, employ, specialty, detail, study, decide, disagreeable, difficulty, necessary, modern.

II. Comprehension — Rearrange the following sentences so as to give a summary of the story:

1. Pone un anuncio en el periódico.
2. El explica las ventajas de su método.
3. El profesor Buenamemoria se presenta allí.
4. Poco después de salir, alguien llama a la puerta.
5. Ella quiere mejorar su memoria.
6. El profesor se olvida del paraguas.
7. La señora Morales tiene mala memoria.
8. La señora Morales queda encantada de su profesor.

III. Useful Expressions — Form new sentences based on the models:

1. Me doy cuenta de lo que hago. *I realize what I am doing.*
   digo.
   tengo.
   quiero.
   leo.
   . . .

2. Volvió a los pocos días. *He returned after a few days.*
   meses.
   años.
   minutos.
   horas.
   . . .

3. Somos aficionados al estudio. *We were fond of studying.*
   deportes.
   música.
   libros.
   fútbol.
   . . .

4. De hoy en adelante, no vuelvo a ir allá. *From today on, I am not going there anymore.*

   no vuelvo a explicar nada.
   no vuelvo a comer tanto.
   no vuelvo a viajar más en avión.
   no vuelvo a leer esos anuncios.
   . . .

IV. Dialog – Memorize and dramatize:

—Tengo que aprender muchas cosas para mañana.
I have to learn many things for tomorrow.

—Eso es fácil para ti. Tú tienes muy buena memoria.
That is easy for you. You have a very good memory.

—Cuando tengo que recordar muchas cosas, siempre me olvido de algunas.
When I have to remember many things, I always forget some.

—Entonces, eres como yo.
So, you are like me.

—Por supuesto, no soy un genio.
Of course, I'm not a genius.

V. Language Structure—Complete the following sentences in Spanish:

1. Todos queremos tener — *(a good memory).*
2. La señora — mejorar su memoria *(tried).*
3. El profesor — su método especial *(used).*
4. Ella tiene que ver — *(the teacher).*
5. Alguien llama a — *(Mrs. Morales' door).*
6. El otro día — el periódico local *(I did read).*
7. — moderna es difícil pero interesante *(Life).*
8. ¿Lee usted el periódico local — ? *(every day)*
9. ¿Cómo — ese profesor? *(is called).*
10. ¿Es usted — a los deportes? *(a fan).*

61

Pintura moderna

Escena: En un museo de pintura moderna.

Personajes: Un artista de pintura moderna, y un amigo suyo[1] que está mirando un cuadro del artista.

Artista. –Sí, amigo mío; todo ha cambiado en el arte de la pintura moderna. La pintura está ganando,[a] de día en día,[2] en cuanto a[3] su utilización. Ahora no mostramos nada al espectador;[4] nos limitamos a sugerirle[5] . . .

Amigo. –¿Cómo? ¿Qué quiere usted decir?[b]

Artista. –Ya verá usted.[6] Este cuadro mío representa a un ladrón robando[7] una caja de caudales.[8]

Amigo. –Pero no veo por ninguna parte[9] la caja.

Artista. –Sí, claro.[10] ¿Cómo va usted a ver la caja si se la ha llevado[11] el ladrón?

Amigo. –Es que tampoco veo al ladrón.[c]

Artista. –¡Es cosa muy natural! ¿Conoce usted algún ladrón que después de robar una caja de caudales no se escape[12] inmediatamente?

Preguntas

1. ¿Quiénes son los personajes de esta escena?
2. ¿Qué dice el artista acerca de la pintura moderna?
3. ¿De qué trata el cuadro del artista?
4. ¿Por qué no ve el amigo la caja de caudales?
5. ¿Qué hace el ladrón después de robar la caja?

---

[1] un amigo suyo *a friend of his* [2] de día en día *from day to day* [3] en cuanto a *with regard to* [4] el espectador *spectator, onlooker* [5] nos limitamos a sugerirle *we only suggest to him* [6] Ya verá usted. *Now you will understand.* [7] un ladrón robando *a thief stealing* [8] la caja de caudales *safe* [9] por ninguna parte *anywhere* [10] claro *of course* [11] se la ha llevado *has taken it away* [12] no se escape *will not escape*

Expresiones útiles:

(a) La pintura moderna está ganando mucho.	*Modern painting is progressing much.*
(b) ¿Qué quiere usted decir?	*What do you mean?*
(c) Es que tampoco veo al ladrón.	*It's that neither do I see the thief.*

EXERCISES

I. Word Study

(a) Match the meaning of the following Spanish and English words:

caja	*look*	después de	*rob*
cuadro	*know*	tampoco	*change*
espectador	*box*	mostrar	*escape*
mirar	*suggest*	robar	*neither*
sugerir	*picture*	escapar	*after*
conocer	*spectator*	cambiar	*show*

(b) Give the corresponding English words for:
museo, artista, arte, limitar, representar, parte, natural, escapar

II. Comprehension — Are the following sentences true or false?

1. Todo ha cambiado en la pintura moderna.
2. Nadie mira los cuadros del museo.
3. El ladrón no roba la caja de caudales.
4. El cuadro representa a un artista.
5. La pintura moderna es interesante para algunos.
6. El espectador no ve nada en la pintura.
7. Todos los artistas no pintan así.
8. Este artista trata de sugerir algo al espectador.
9. Después de robar, el ladrón se escapa.
10. Muchos no pueden ver al ladrón.

III. Useful Expressions — Form new sentences based on the models:

1. Mi amigo está pintando un cuadro. *My friend is painting a picture.*

Nosotros
Yo
Usted no
Ellos
. . .

64

2. Yo quiero decir esto.　　　　*I mean this.*
   Carmen
   Ellos
   Nosotros
   Mi madre
   . . .

3. Yo tampoco visito aquel museo.　　*I don't visit that museum*
   　　　　　　　　　　　　　　　　either.
   Pedro
   el señor Ortega
   nosotros
   ustedes
   . . .

4. No lo encontrará en ninguna parte.　*You will not find it*
   No se vende este cuadro　　　　*anywhere.*
   El artista no trabaja
   No ha visto esto
   Nadie compra tal cuadro
   . . .

IV. Dialog – Memorize and dramatize:

—¿Le gusta este cuadro?　　　　*Do you like this picture?*

—No, no me gusta.　　　　　　*No, I don't like it.*

—¿No le gusta esta clase de arte?　*Don't you like this kind of art?*

—Me gustan más los cuadros de　*I like better pictures of classical*
pintura clásica.　　　　　　*art.*

—Para muchos la pintura mo-　*For many modern painting is*
derna es más interesante.　　*more interesting.*

V. Language Structure – Complete these sentences in Spanish:

1. ¿Quién — este cuadro? (*painted*)
2. ¿— este museo de pintura? (*What is the name*)
3. — muchos cuadros modernos. (*There are*)
4. ¿— que esta ciudad tiene muchos museos? (*It is true*)
5. No vemos — en la pintura. (*the thief*)
6. El espectador no ve — en este cuadro. (*anything*)
7. ¿Qué — de este cuadro? (*does the artist mean*)
8. — artistas no quieren pintar así. (*Some*)
9. Para — esta clase de pintura es difícil. (*many*)
10. ¿— es este cuadro tan interesante? (*Whose*)

65

Angeles y mosquitos

Maruja es una niña de cinco años. Ella y su mamá son muy buenas amigas. Van de paseo[a] todos los días y a veces[b] van al cine.[1]

Era la época[2] de las vacaciones. En el mes de agosto hacía mucho calor[3] en la ciudad. Fue con su madre al campo[4] a pasar unos días en casa[c] de unos parientes.

Llegó la primera noche. Maruja y su madre ocuparon el mismo dormitorio. Apagaron[5] la luz y la obscuridad asustó[6] un poco a la pobre niña. Entonces su madre le dijo:

—No tengas miedo, querida.[7] Los ángeles están a tu lado.

Hubo un rato de silencio, pero de pronto[d] la niña lanzó[8] una exclamación de dolor.

—¿Qué te ocurre,[9] Maruja? —preguntó la madre.

—Nada —respondió Maruja. —Los ángeles están zumbando a mi alrededor[10] y uno de ellos me picó[11] . . .

Preguntas

1. ¿Qué son madre e hija?
2. ¿Cuándo hacía mucho calor en la ciudad?
3. ¿A dónde fueron Maruja y su madre a pasar unos días?
4. ¿Qué asustó a Maruja?
5. ¿Por qué lanzó una exclamación de dolor?

Expresiones útiles:

(a) Los dos van de paseo.	*The two go for walks.*
(b) A veces voy al cine.	*I sometimes go to the movies.*
(c) Ellas pasaron unos días en el campo.	*They spent a few days in the country.*
(d) De pronto lanzó una exclamación.	*Suddenly she uttered a cry.*

---

[1] el cine *the movies*   [2] la época *time, epoch*   [3] hacía mucho calor *it was very hot*   [4] el campo *the country*   [5] apagar *to put out*   [6] asustar *to scare, frighten*   [7] No tengas miedo, querida. *Don't be afraid, dear.*   [8] lanzar *to let out, utter*   [9] ¿Qué te ocurre? *What's wrong with you?*   [10] están zumbando a mi alrededor *(they) are buzzing around me*   [11] me picó *stung me*

EXERCISES

I. Word Study

(a) Match the opposites of the following Spanish words:

amiga	*noche*	apagar	*preguntar*
alguno	*entrar*	silencio	*poco*
calor	*campo*	siempre	*alguien*
día	*enemiga*	responder	*ruido*
ciudad	*frío*	nadie	*nunca*
salir	*ninguno*	mucho	*encender*

(b) Give the corresponding Spanish words for
vacation, August, obscurity, angel, silence, exclamation,
occur, respond

II. Comprehension — Complete the following sentences with the proper phrase: *al lado de, asustó a, a Maruja, pasan unos días, un momento de silencio, en el mes de, van de paseo, al campo, Angeles y mosquitos, buenas amigas.*

1. Maruja y su mamá — todos los días.
2. Las dos son muy —.
3. La niña y su mamá van —.
4. El título de este cuento es —.
5. Los ángeles están — Maruja.
6. Uno de los mosquitos picó —.
7. Hubo —
8. La obscuridad — la pobre niña.
9. En general, — agosto hace calor.
10. La madre y su hija — con sus parientes.

III. Useful Expressions — Form new sentences based on the models:

1. Doy paseos por la ciudad. *I take walks in the city.*
   Ellos
   El señor Pérez
   Nosotros
   Usted
   . . .

2. El fue al cine. *He went to the movies.*
   Yo
   Ellos
   Nosotros
   Mi amigo
   . . .

3. Pasé unos días en casa.   *I spent a few days home.*
   Pedro
   Nosotros
   Usted
   Alguien
   . . .

4. De pronto, me picó un mosquito. *Suddenly, a mosquito stung*
              le   *me.*
              nos
              te
              les
              . . .

IV. **Language Structure** – Complete these sentences in Spanish:

   1. ¿— la niña del cuento? (*What is the name*)
   2. ¿Qué día — es hoy? (*of the month*)
   3. Pasaron unos días en —. (*the relatives' room*)
   4. ¿— viven las dos? (*In which room*)
   5. La madre preguntó algo —. (*the child*)
   6. — un rato de silencio. (*There was*)
   7. Uno de los mosquitos le —. (*stung*)
   8. La madre y Maruja son muy —. (*good friends*)
   9. Las dos — al cine. (*went*)
   10. Ellos — al campo esta semana. (*can not go*)

69

¡Fuera de mi coche!

Escena: El comedor de una casa bastante pobre con una mesa redonda[1] en el centro.

Personajes: La numerosa familia del señor Bernardo Sinforoso, su esposa Petronila y varios hijos.

(Todos están sentados a la mesa después de una comida.)

Sinforoso. —Oye, Petronila, hoy he hecho un sacrificio enorme. He comprado un décimo° de lotería.° Si me toca el gordo,° estoy dispuesto[2] a comprarme un automóvil.

Petronila. —¡Eso me gusta muchísimo! [a]Naturalmente me llevarás a tu lado.

Hijo menor.[3] —¿Podré ir a tu lado, papito?[4]

Otro hijo. —¿Y podré llevar a mi amiguito Fernando?[5]

Hija joven. —¿Podré invitar a mi novio?[6]

Hija casada. —¡Estupendo! Así tendré ocasión[7] de invitar a mi cuñado,[8] que está loco por dar paseos en coche . . .

Petronila. —Y yo, voy a ofrecerlo[b] a mis amigas que . . .

Sinforoso. —¡Silencio, todos! *(Se oye un silencio profundo.)* ¡Fuera todos[9] de mi coche!

Preguntas

1. ¿Quiénes son algunos de los miembros de la familia?
2. ¿Qué ha comprado el señor Sinforoso?

---

[1] redondo *round*   [2] dispuesto *ready*   [3] menor *youngest*   [4] papito *daddy*   [5] mi amiguito Fernando *my dear friend Ferdinand*   [6] el novio *fiancé*   [7] la ocasión *chance, opportunity*   [8] el cuñado *brother-in-law*   [9] fuera todos *everybody out*   ° Lottery tickets are sold in certain places and in streets where an entire ticket or part of it can be bought. The *décimo* is the tenth part of a ticket. The Christmas drawing is most important. The prizes are big, and *el gordo* or first prize amounts to a considerable sum of money.

3. Si le toca el gordo, ¿qué va a comprar?
4. ¿Quiénes van a dar paseos en coche?
5. ¿Qué les dice a los miembros de su familia?

Expresiones útiles:

    (a) Eso me gusta muchísimo.   *I like that very much.*
    (b) Voy a ofrecérselo a Pablo.   *I am going to offer it to Paul.*

EXERCISES

I. Word Study

    (a) Match the meaning of the following English and Spanish words:

dining room	*comida*	take	*fuera*
quite	*lado*	fiancé	*sentado*
round	*comedor*	brother-in-law	*llevar*
meal	*bastante*	ride	*novio*
after	*redondo*	out	*cuñado*
side	*después de*	seated	*paseo*

    (b) Recite the corresponding English words to:
    centro, numeroso, varios, sacrificio, enorme, automóvil, invitar, estupendo, coche, silencio, profundo.

II. Comprehension – Complete each sentence with the proper word taken from those in parentheses:

    1. El les habla — la comida. (*durante, con, entre*)
    2. El padre es — pobre. (*bastante, mucho, primero*)
    3. Yo — este automóvil. (*compra, compré, compró*)
    4. La mesa redonda — en el comedor. (*son, está, es*)
    5. ¿Cuántas personas — allí? (*hay, han, ha*)
    6. La familia no ha comprado — automóvil. (*alguno, ningún, ninguno*)
    7. La comida está — la mesa. (*por, entre, sobre*)
    8. María — las ventanas del comedor. (*abrió, abrí, abra*)
    9. Ellos — del campo la semana pasada. (*regresaron, regresamos, regreso*)
    10. ¿Cuánto — él por este automóvil? (*pago, pagar, pagó*)

III. Verbs — Answer the following sentences in the simple future:

1. ¿Qué va a hacer usted esta noche?
2. ¿Dónde comprará usted su automóvil?
3. ¿A qué hora estará en casa?
4. ¿Cuánto va a pagar por ese auto?
5. ¿Lo veré a usted el próximo mes?
6. ¿Cuándo visitará a mi amigo Fernando?
7. ¿De quién va a recibir algo mañana?
8. ¿Por qué no va a ver a Juan?
9. ¿Tendrán ellos que escribir una carta?
10. ¿Venderán ellos su auto el año próximo?

IV. Dialog — Memorize and dramatize:

—¿De qué marca es su coche?	*Of what make is your car?*
—De la mejor.	*The best.*
—¿Pagó mucho?	*Did you pay a great deal?*
—Sí, bastante.	*Yes, quite a bit.*
—Vamos a dar un paseo juntos por la ciudad.	*Let's take a ride together in the city.*
—Con mucho gusto, suba usted.	*Gladly, get in.*

V. Language Structure — Complete these sentences in Spanish:

1. Todos están — a la mesa (*seated*).
2. — este automóvil enorme (*Look at*).
3. ¿Quiere usted — un paseo por la ciudad (*take*)?
4. Este cuento — muy interesante (*is*).
5. Uno de los hijos — la puerta (*did not open*).
6. El padre los asustó — (*all of them*).
7. La familia — la ciudad (*left*).
8. En el comedor — muchas personas (*there are*).
9. Esta semana — trabajar demasiado (*we cannot*)
10. No me — este automóvil pequeño (*like to buy*).

Demasiado cortés

Escena: El interior de un ómnibus público.

Personajes: Una señorita muy atractiva de unos veinte años, un caballero elegante de mediana[1] edad, y los pasajeros[2] del coche.

(Al subir la señorita al ómnibus, un caballero se levanta.)

Caballero. —¡Cuánto me alegro de ceder[a] mi asiento a una señorita tan atractiva como usted! Tome asiento,[3] por favor.[b]

Señorita. —Muchas gracias, caballero. Pero no permito que usted pierda[4] su asiento.

Caballero. —Señorita, ¿me permite usted . . . ?

Señorita. —De ninguna manera[c] puedo yo permitir que usted me ceda el asiento.[5]

Caballero. —Pero, señorita, es que[6] tengo que . . .

Señorita. —Le digo que no, ¡siéntese, por favor! No insista más. De todas formas, se lo agradezco.[7]

Caballero. —Basta de tonterías.[8] Se lo digo por última[9] vez. Insista todo lo que quiera.[10] Yo me tengo que bajar en la próxima esquina,[11] de todas maneras.

Preguntas

1. ¿Quiénes son los personajes principales?
2. ¿Quién sube al ómnibus?
3. ¿Quién se levanta?
4. ¿Qué dice la señorita al caballero?
5. ¿Qué quería hacer el caballero?

---

[1]mediano *middle* [2] el pasajaro *passenger* [3] Tome asiento. *Be seated. Take a seat.* [4] que usted pierda *that you give up* [5] me ceda el asiento *you give me your seat* [6] es que *it is because* [7] De todas formas, se lo agradezco *anyway, I do appreciate it* [8] Basta de tonterías. *Enough nonsense.* [9] último *last* [10] Usted insista todo lo que quiera. *You may insist all you want.* [11] la esquina *corner*

Expresiones útiles:

(a) Me alegro de ceder mi   *I am glad to give up my seat.*
asiento.

(b) Por favor, tómelo.   *Please, take it.*

(c) De ninguna manera puedo   *By no means can I see you.*
verlo.

(d) Insisto en hacerlo.   *I insist on doing it.*

EXERCISES

I. Word Study

(a) Match the opposites of the following Spanish words:

interior	*bajar*	perder	*poco*
público	*dar*	ninguno	*levantarse*
atractivo	*sentir*	permitir	*primero*
subir	*particular*	sentarse	*encontrar*
alegrarse	*exterior*	último	*prohibir*
tomar	*feo*	mucho	*alguno*

(b) Give the corresponding Spanish words for:
public, elegant, attractive, coach, omnibus, permit

II. Comprehension — Complete the unfinished sentences to the left with the proper part to the right:

1. La señorita sube   *tengo que bajar aquí.*
2. Uno de los pasajeros   *una señorita y un caballero.*
3. Señorita, ¿me permite   *—Tome asiento, por favor.*
4. No puedo sentarme   *persona de mediana edad.*
5. Tengo que bajarme   *sube al ómnibus.*
6. Le digo que   *se levanta pronto.*
7. Una señorita elegante   *en aquel asiento.*
8. El caballero dice: *en la próxima esquina.*
9. Los personajes son   *ofrecerle mi asiento?*
10. El caballero es   *a un ómnibus público.*

III. Useful Expressions — Form new sentences based on the models:

1. Me alegro de contestar en español. *I am glad to answer in Spanish.*

        verlo tan bien.
        saludarlo.
        poder hacerlo.

2. Por favor, tome asiento.   *Please sit down.*
          abra la puerta.
          hable español.
          lea eso.
          preste atención.

3. De ninguna manera permitiré eso. *By no means, shall I per-*
                                    mit that.
          podrá usted entrar.
          podremos hacerlo.
          haría yo eso.
          faltaré a clase.

4. Usted insiste en decirlo.   *You insist on saying it.*
          comprar algo.
          subir al ómnibus.
          comer poco.
          escribir una carta.

IV. Series — Repeat the series with the subjects *usted, nosotros, ellos:*

1. Espero el ómnibus.
2. Al llegar, subo al ómnibus.
3. Pago la tarifa.
4. Me siento.
5. Me bajo en diez minutos.
6. Voy a casa.

V. Verbs — Change the following sentences from the simple present to the past and future:

1. Muchos pasajeros suben al ómnibus.
2. Voy a trabajar todos los días.
3. Ella no me comprende.
4. El señor Campos habla con la señorita.
5. Muchos pasajeros viajan en ómnibus.
6. Prefiero viajar en avión.
7. El caballero deja el asiento a la anciana.
8. No vemos a la muchacha atractiva.
9. Todos pagan la tarifa.
10. Usted trata de ir allá.

Esto también ocurre

Escena: En una pescadería [1] de la ciudad.

Personajes: El pescadero [1] y una señora que quiere comprar pescado. [1]

Pescadero. —Buenas tardes, señora, ¿qué desea?

Señora. —Buenas tardes, dígame, ¿está fresco ese pescado?

Pescadero. —¿Cuál? ¿Este grande de aquí? Puede usted estar segura de que [a] está fresquísimo. [2]

Señora. —¿De veras? [b] ¿Está usted seguro?

Pescadero. —Segurísimo. [3] ¿Cuánto pescado desea usted, señora?

Señora. —Vaya cortando en rebanadas [4]; ya avisaré.

Pescadero. —¿Quiere usted más? (*Después de cortar varias rebanadas*)

Señora. —Corte usted, señor. Ya le avisaré cuando debe parar.

Pescadero. —*Sigue cortando,* [c] *pero ya inquieto* [5] *dice:* —Señora, ya he cortado unas tres libras. [6] Dígame, por favor, ¿cuánto pescado quiere usted comprar?

Señora. —Siga cortando, [7] y cuando haya llegado al centro, [8] deme [9] entonces un cuarto de libra.

Preguntas

1. ¿En dónde ocurre esta escena?
2. ¿A dónde va la señora para comprar pescado?

---

[1] la pescadería *fish store;* el pescado *fish;* el pescadero *fish dealer, fishmonger* [2] fresquísimo *very fresh* [3] segurísimo *quite sure* [4] la rebanada *slice* [5] inquieto *uneasy* [6] la libra *pound* [7] Siga cortando *Keep on cutting* [8] cuando haya llegado al centro *when you reach the center* [9] deme *give me*

3. ¿De qué quiere estar segura la señora?
4. ¿Cuánto pescado corta el hombre?
5. ¿Cuánto pescado quiere comprar la señora?

Expresiones útiles:

(a) Estoy seguro de que es bueno.	*I am sure it is good.*
(b) ¿De veras lo quiere usted?	*Do you really want it?*
(c) El hombre sigue cortando.	*The man keeps on cutting.*

EXERCISES

I. Word Study — Match the following words:

(a) Vocabulary

seguro	*fresh*
cortar	*arrive*
fresco	*sure*
entonces	*cut*
llegar	*then*

(b) Synonyms

señora	*pasar*
señor	*mas*
ocurrir	*dama*
grande	*caballero*
pero	*enorme*

(c) Opposites

también	*pequeño*
ciudad	*vender*
grande	*antes de*
comprar	*campo*
después de	*tampoco*

II. Comprehension — Rearrange the following sentences so as to give a summary of the story:

1. No le gustan los pescados que ve.
2. Ella paga lo que escoge y sale de la pescadería.
3. El pobre hombre corta más de dos libras.
4. La dama sólo compra la mejor parte.
5. Cierto día una señora quiere comprar algo.
6. Dice al pescadero: — Corte este pescado en rebanadas.
7. Va a la pescadería sin perder tiempo.
8. Ella necesita pescado porque es viernes.

80

III. Useful Expressions – Recite the following forms completely in Spanish:

1. De veras, ¿está fresco el pescado?   *Really, is the fish fresh?*
   ¿es usted el autor?
   ¿está él seguro?
   ¿quiere vender eso?
   ¿quiere comprar más?

2. El hombre sigue cortando.   *The man keeps on cutting.*
   hablando.
   estudiando.
   escribiendo.
   comiendo.

3. Cómprelo a tiempo.   *Buy it on time.*
   Léalo
   Regrese a casa
   Aprenda esto
   Escríbalo

4. Estoy seguro de que él escribirá.   *I am sure that he will write.*
   Pablo entrará.
   usted saldrá.
   ellos contestarán.
   nosotros lo haremos.

IV. Language Structure – Recite the following sentences entirely in Spanish:

1. La señora — pescado hoy (*will not buy*).
2. Allí — pescado todos los días (*is sold*).
3. Yo — carne tres días de la semana (*don't eat*).
4. A Carlos no le — mucho (*like to spend*).
5. Ellos — cartas a sus amigos (*wrote*).
6. ¿Dónde — una pescadería aquí cerca (*is there*)?
7. El hombre y su esposa son — (*Spanish*).
8. Todos compraron algo en — (*that store*).
9. Carlos no compró — (*nothing*).
10. En — no comemos carne los viernes (*our family*).

V. Composition – Tell your neighbor to the right or left of you in Spanish:

1. You have to go to the store to buy some things for your mother.
2. She needs bread, meat, fruit, and other things.
3. You will pay for everything.
4. You will return home in half an hour.

81

¿Por qué no?

Los mayores olvidan que los niños deben aprender la mar de cosas[1] acerca de[2] la vida. Como es natural tienen que resolver problemas algunas veces.[a] Los padres no se dan cuenta de lo difícil que es[b] adaptarse a las leyes establecidas por la sociedad humana.

Una mañana, Luisito, niño simpático[3] de ocho años, habla a su padre muy serio:

—Papá, quiero casarme...

—Pero si no tienes más que ocho años,[c] ¿cómo puedes casarte?

—Es verdad que tengo sólo ocho años. No importa.[4] Quiero casarme...

—¿Y con quién quieres casarte?

—Quiero casarme con abuelita.[d]

—¿Con quién?

—Quiero casarme con abuelita.

—Pero,hijo, ¿cómo voy a dejar casarte con mi madre?

—¿Y por qué no? ¿No te casaste tú con la mía?

Preguntas

1. ¿Qué tienen que aprender los niños?
2. ¿Cuántos años tiene Luisito?
3. ¿Quiénes hablan en este cuento?
4. ¿Con quién quiere casarse Luisito?
5. ¿Con quién se había casado el padre de Luisito?

Expresiones útiles:

(a) Algunas veces, hablo mucho.   *At times, I speak a great deal.*
(b) Ellos se dan cuenta de lo   *They realize how difficult it is.*
    difícil que es.

---

[1] la mar de cosas *many things*   [2] acerca de *about*   [3] simpático *nice, fine, likeable*
[4] No importa. *It doesn't matter.*

(c) No tienes más que ocho   *You are only eight years old.*
años.

(d) Quiero casarme con abuelita.   *I want to marry grandma.*

EXERCISES

I. Word Study

(a) In each line pick out the word which does not belong to the group:

1. familia: padres, hermano, abuela, cama, esposo
2. casa: comedor, sala, carne, cocina, cuarto
3. año: traje, estación, primavera, enero, otoño
4. persona: muchacho, mujer, niño, mueble, hombre
5. día: mañana, mediodía, noche, tarde, jueves

(b) Look for the corresponding Spanish words to: problem, difficult, human, society, serious, established

II. Comprehension — Complete the following statements:

1. Los niños deben aprender —
2. Tienen que resolver —.
3. Todos tenemos que adaptarnos a —.
4. Una mañana Luisito habla —.
5. Dice a su padre: —Quiero —.
6. El padre le dice que él —.
7. Luisito tiene sólo —.
8. El padre de Luisito se casó —.
9. Las dos personas que hablan son —.
10. Luisito quiere casarse —.

III. Useful Expressions — Recite the complete form of the following:

1. A veces Luis habla con su padre.   *Sometimes Louis speaks with his father.*

    yo
    ellos
    usted
    nosotros
    . . .

2. Me doy cuenta de lo difícil que es.   *I realize how difficult it is.*
    Carmen
    Nosotros
    Pedro y Pablo
    La señorita Díaz

    . . .

84

3. Yo no tengo más que un hijo.   *I only have one son.*
   El
   El señor Gómez
   Esta familia
   Mi padre
   . . .

4. Este hombre se casó con la   *This man is married to Miss*
   señorita Sánchez.   *Sanchez.*
   Nadie
   Mi hermano
   Juan
   Yo no
   . . .

IV. Series — Repeat the series in the present with the *tú, usted, Pedro*
   as subjects:

   1. Yo tengo diez años.
   2. Quiero mucho a mi abuela.
   3. Decido hablarle a mi padre sobre esto.
   4. Trato de explicarle algo importante.
   5. Le digo que quiero casarme con mi abuela.
   6. No recibo respuesta de mi padre.

V. Verbs — Change the following sentences to the given subject and
   tense:

   1. Hablo muy serio. Ellos —
   2. El padre verá a Luisito. Nosotros —
   3. ¿Quién se casó con ella? Yo me —
   4. Usted ha visto a Juan. Tú —
   5. Quiero hacerlo. El señor Soto —
   6. Este niño paga. María y yo —
   7. Pedro irá allá. Yo —
   8. Aquí no está nadie. El —
   9. Todos somos buenos. Ella —
   10. Salí pronto. Usted —

Problema
de matemáticas

En un pueblo pequeño de un distrito rural, el maestro explicaba los misterios de la división. Con la larga explicación[1] dio varios ejemplos[2] con todos los detalles.[3] Más tarde[a] para asegurarse de que todos habían comprendido, llamó a Jorgito[4] y le preguntó:

—Dime, Jorgito: si corto un bistec[5] en dos y luego vuelvo a cortar[b] en dos ambas mitades, ¿qué es lo que tengo?

—Cuartos —responde el alumno.

—Perfectamente.[6] Y si corto los cuartos en mitades,[7] ¿cuántas partes tengo?

—Ocho.

—Correcto. ¿Y si vuelvo a cortar?

—Dieciséis.

—Exactamente. ¿Y si repito la operación?

—Treinta y dos.

—¿Y si repito la operación una vez más?[c]

—¡Picadillo![8] —grita indignado[9] el alumno.

Preguntas

1. ¿Qué explicaba el maestro?
2. ¿Dónde estaba la escuela?
3. ¿A quién preguntó el maestro?
4. ¿Para qué preguntó a Jorgito?
5. ¿Cómo contestó Jorgito al fin?

---

[1] la explicación *explanation* [2] el ejemplo *example* [3] el detalle *detail* [4] Jorgito *Georgie* [5] el bistec *steak* [6] Perfectamente. *That is so.* [7] en mitades *in halves* [8] picadillo *chopped meat, hamburger* [9] indignado *indignantly*

Expresiones útiles:

(a) Lo veremos más tarde.	*We shall see you later.*
(b) Vuelvo a cortar.	*I cut again.*
(c) Explicaré el problema una vez más.	*I shall explain the problem once more.*

EXERCISES

I. Word Study

(a) Match the meaning of the Spanish and English words:

largo	*half*	treinta	*explanation*
llamar	*cut*	pueblo	*make sure*
luego	*time*	comprender	*example*
cortar	*long*	asegurarse	*thirty*
mitad	*call*	explicación	*understand*
vez	*then*	ejemplo	*town*

(b) Recite the corresponding English words to:
distrito, rural, explicar, misterio, división, varios, responder, parte, correcto, repetir, operación

II. Comprehension — Rearrange the words to make sentences which are related to the story:

1. rural, pasa, un, pueblo, en, distrito, de, esto, un.
2. matemáticas, el, maestro, en, pregunta, un, la, alumno, a, clase, de.
3. maestro, de, división, a, si, el, Jorgito, pregunta, problema, el, comprende.
4. profesor, muy, el, bien, alumno, al, responde.
5. repite, la, muchas, el, grita, operación, y, alumno, se, veces, indignado.

III. Useful Expressions — Form new sentences based on the models:

1. Lo veré más tarde   *I shall see you later.*
   Voy a leer
   El explicará eso
   Trabajaremos
   María llegará
   . . .

2. Vuelvo a hablar.   *I speak again.*
          decir.
          trabajar.
          hacerlo.
          escribir.
       . . .

3. Viajamos una vez más.   *We are traveling once more.*
   Salgo de casa
   Don Carlos escribió
   Yo abrí la puerta
   Pedro debe leer
   . . .

4. Jorgito tiene diez años.   *Georgie is ten years old.*
   Yo no
   Este muchacho
   Uno de estos alumnos
   Mi amigo Juan
   . . .

IV. Dialog – Memorize and dramatize:

—¿A qué escuela asiste usted?   *What school do you go to?*

—No asisto a la escuela en este   *I don't go to school in this*
pueblo.   *town.*

—¿Por qué no?   *Why not?*

—Porque en este pueblo no hay   *Because there is no high school*
instituto. Como me preparo   *in this town. As I am pre-*
para la Universidad tengo   *paring for college, I must go*
que asistir a una escuela   *to a high school.*
secundaria.

—¿Cuánto tiempo tiene que ir   *How long must you go there?*
allá?

—Medio año más, si me   *Half a year more, if I*
gradúo.   *graduate.*

V. Verbs – Use these sentences in the past and future with subjects between parentheses:

1. El no tiene tiempo. (yo, nosotros, el señor Gil)
2. Ellos quisieron ir allá. (ella, yo, Pedro)
3. El maestro entrará. (José, nosotros, yo)
4. Ellos comprenderán. (mi padre, Manolo, nosotros)
5. Usted me permite salir. (María, él, mi tía)
6. Esperamos verte por aquí. (yo, el señor Palacios, el profesor)
7. Prefiero vivir aquí. (usted y yo, ese hombre, tú)
8. Deseamos hablarte. (María, yo, el hombre)
9. Mi padre entra. (ustedes, yo, esos señores)
10. El quiere ir allá. (yo, nosotros, usted)

Lo sabrá antes que él

En la vida moderna el médico tiene que curar[a] a los enfermos. No sólo debe atender a sus pacientes, sino también[b] a menudo[c] se expone a toda clase[1] de graves peligros.[2] Eso fue lo que le pasó al doctor Sánchez el otro día en su consultorio.[3]

Joselito, el famoso criminal, entra en el consultorio del doctor Sánchez. Lleva a cuestas[4] a su buen amigo Curro[5] que está gravemente herido[6] de un balazo[7] en el abdomen.

Cuando el médico se prepara para la operación, Joselito saca una pistola y le dice al médico:

—Lo siento,[8] doctor; vamos a aclarar una cosa.[9] Si Curro muere no tengo otro remedio que matarlo a usted.[10]

Entonces el médico, con la mayor calma, saca también un terrorífico[11] revólver. Poniéndolo entre sus instrumentos, empieza la operación.

—¿Por qué hace usted eso? —pregunta Joselito con voz temerosa.[12]

— Porque, amigo mío, — responde con calma el doctor — si Curro va a morir, yo lo sabré tres minutos antes que usted.

Preguntas

1. ¿A quiénes tiene que curar el médico?
2. ¿Quién entra en el consultorio del doctor Sánchez?
3. ¿De qué está herido su buen amigo?
4. Si Curro muere, ¿qué hará Joselito?
5. ¿Quién lo sabrá tres minutos antes?

---

[1] toda clase *all kinds* [2] el peligro *danger* [3] el consultorio *doctor's office* [4] a cuestas *on his back* [5] Curro *Frank* [6] gravemente herido *seriously wounded* [7] el balazo *shot, gun shot* [8] Lo siento *I am sorry.* [9] Vamos a aclarar una cosa. *Let's make one thing clear.* [10] No tengo otro remedio que matarlo a usted. *I must kill you.* [11] terrorífico *frightful* [12] temeroso *fearful*

Expresiones útiles:

(a) El médico tiene que curar a los enfermos. — *The doctor has to cure the sick.*

(b) No sólo ayudamos a los enfermos, sino también los atendemos. — *Not only do we help the sick, but we also take care of them.*

(c) A menudo ve a sus pacientes. — *He often sees his patients.*

EXERCISES

I. Word Study

(a) Give the two words which have the same meaning in each group:

pasar	*doctor*
famoso	*responder*
médico	*revólver*
pistola	*célebre*
contestar	*ocurrir*

(b) Give the two words which have opposite meaning in each group:

entrar en	*acabar*
amigo	*contestar*
empezar	*después*
preguntar	*salir de*
antes	*enemigo*

(c) Give the corresponding English word to:
curar, atender, paciente, practicar, operación, instrumento

II. Comprehension — Complete the unfinished sentences to the left with the proper part to the right:

1. Los médicos curan	*está gravemente herido.*
2. Los doctores se exponen	*por qué hace eso.*
3. Los pacientes entran	*él lo sabrá tres minutos antes.*
4. Uno de los dos	*un revólver también.*
5. El famoso criminal	*en el consultorio del médico.*
6. Si Curro muere	*Joselito por qué sacó el revólver.*
7. El doctor Sánchez saca	*a toda clase de peligros.*
8. El criminal pregunta	*a sus pacientes.*
9. El médico explica a	*Joselito matará al médico.*
10. Le dice que si Curro muere	*se llama Joselito.*

III. Useful Expressions – Form new sentences based on the models:

1. Tengo que ver a los pacientes.   *I must see the patients.*
 Nosotros
 El señor Ruiz
 Usted no
 El médico
 . . .

2. A menudo voy a ver al médico.   *I often go to see the doctor.*
         tengo que trabajar.
         recibo cartas.
         trabajo mucho.
         salgo de casa.
         . . .

3. El médico no sólo ayuda, sino   *The doctor not only helps,*
 también cura a los enfermos.   *but also cures the sick.*
 Esta señora
 Nosotros
 Ellos
 . . .

4. El médico se prepara para   *The doctor gets ready for*
 la operación.   *the operation.*
 salir de casa.
 ir al hospital.
 examinar al paciente.
 dar el diagnóstico.

IV. Composition – Explain in Spanish that:

1. The other day you were not well.
2. You went to the doctor's house.
4. You waited an hour before entering his office.
4. After examining you, you were well in two or three days.

Un chico quería saber

La señora Sofía Rodríguez era una madre moderna. Quería educar muy bien a su hijo Manolito, chico de siete años. Al pobre chico lo llevaban[1] a toda clase[2] de actos culturales.

Aquella noche su erudita[3] madre lo llevó a un concierto sinfónico por primera vez.[a] Estaba sentado el niño al lado de su madre escuchando la música con paciencia. El segundo número del programa era un solo de soprano.[4] La cantante,[5] instalada[6] cerca del director[7] de orquesta, empezó a cantar.[b]

Al emitir[8] la primera nota aguda,[9] con las manos apretadas[10] sobre el pecho y los ojos levantados hacia lo alto,[11] Manolito no pudo contenerse,[12] y con voz de alarma preguntó a su madre:

—¿Por qué ese viejo[13] del traje negro amenaza[14] con su palito[15] a la señora gorda que canta?

Y la madre le contestó:

—¡Oh no, hijo mío! Aquel caballero es el director de la orquesta. El mueve la batuta[16] para marcar[17] el tiempo. No le pega a la cantante, ni le está haciendo daño.[c]

—Entonces mamá, ¿por qué grita ella de ese modo?[d]

Preguntas

1. ¿Qué quería hacer la señora Rodríguez?
2. ¿A dónde llevó a su hijo aquella noche?
3. ¿Cómo escuchó Manolito la música?
4. ¿Qué creía que hacía el director de orquesta?
5. Según Manolito, ¿qué hacía la dama gorda, gritaba o cantaba?

---

[1] lo llevaban *he was taken*　[2] a toda clase *to all kinds*　[3] erudito *learned*　[4] soprano *soprano, female highest voice*　[5] la cantante *singer*　[6] instalado *placed, standing*　[7] el director *conductor, leader*　[8] emitir *to utter*　[9] agudo *high*　[10] apretadas *clasped*　[11] los ojos levantados hacia lo alto *with eyes upward*　[12] contenerse *control oneself*　[13] el viejo *old man*　[14] amenazar *to threaten*　[15] el palito *little stick*　[16] la batuta *conductor's baton*　[17] marcar *to beat (time)*

Expresiones útiles:

(a) Ella lo lleva al concierto por primera vez. — *She takes him to the concert for the first time.*

(b) Ella empezó a gritar. — *She began to scream.*

(c) El director no hará daño a la cantante. — *The conductor will not harm the singer.*

(d) El director dirige la orquesta de ese modo. — *The conductor leads the orchestra in that manner.*

EXERCISES

I. Word Study

(a) Give the two words which have the opposite meaning in each group:

negro	*blanco*	moderno	*bajo*
preguntar	*mal*	alto	*último*
gordo	*contestar*	noche	*lejos de*
bien	*llorar*	primero	*antiguo*
cantar	*flaco*	cerca de	*día*

(b) Recite the corresponding English words to:
clase, moderno, influencia, cultural, concierto, sinfonía, paciencia, programa, música, solo, orquesta, alarma, dama, director

II. Comprehension — Are the following sentences true or false? If they are false, make the corrections.

1. Manolito es un chico de ocho años.
2. Lo llevaban a muchos actos culturales.
3. La madre de Manolito lo llevó a un concierto.
4. El chico fue al concierto por primera vez.
5. El no escuchó la música con paciencia.
6. La soprano cantó el primer número del programa.
7. El segundo número fue un solo de soprano.
8. El chico no pudo contenerse cuando oyó a la soprano.
9. El empezó a gritar con voz de alarma.
10. El director de orquesta le pegó a la cantante.

III. Useful Expressions — Form new sentences based on the models:

1. Manolito fue al concierto por primera vez. *Manny went to the concert for the first time.*
   segunda vez.
   última vez.
   tercera vez.
   quinta vez.

96

2. La soprano empezó a cantar.   *The soprano began*
Ellos   *to sing.*
Usted
Nosotros
Manolito

3. El director no le hace daño a la soprano.   *The conductor is*
Nosotros   *not harming the*
Usted no debe   *soprano.*
Yo no
La señora Rodríguez

4. Ella no gritará de ese modo.   *She will not scream*
Yo no   *in that way.*
Nosotros
Usted
Ellos

IV. Dialog – Memorize and dramatize:

—¿Te gusta ir a un concierto?   *Do you like to go to a concert?*

—No tanto, me gusta más ir al   *Not so much, I like the movies*
cine.   *better.*

—¿Por qué dices eso?   *Why do you say that?*

—Porque me gusta mirar gra-   *Because I like to look at pic-*
bados en color.   *tures in color.*

—¿Pero no te gusta la música?   *But don't you like music?*

—Sí, pero prefiero la música   *Yes, but I prefer popular*
popular.   *music.*

V. Verbs – Imitate the model with the sentences which follow:

Model

1. Manolito pregunta a su madre.
2. Manolito está preguntando a su madre (ahora).
3. Manolito ha preguntado a su madre (esta semana).
4. Manolito preguntó a su madre (ayer).
5. Manolito preguntará a su madre (mañana).

1. Escucho la música.   4. Usted no come mucho.
2. Escribió una carta.   5. ¿Qué compra él?
3. Volveremos al concierto.   6. Ellos viven allí.

97

RECLUTAMIENTO

¡Era evidente!

Escena: Oficina de reclutamiento.[1]

Personajes: Un sargento y un recluta[2] que se presenta para inscribirse.[3]

(El sargento, con aire aburrido,[4] comienza a hacerle una serie de preguntas.ª)

Sargento. —¿Sufrió usted el examen[b] médico?[5]

Recluta. —Sí señor, hace una semana.[6]

Sargento. —¿Asistió a la escuela[c] primaria?

Recluta. —Sí señor.

Sargento. —¿Y a la escuela secundaria?[7]

Recluta. —Me gradué[8] con honores.

Sargento. —¿Universitario?[9]

Recluta. —Soy licenciado[10] en letras[11] de[12] la Universidad de Salamanca, licenciado en ciencias de la Universidad de Madrid. Después hice varios cursos[13] superiores en la Universidad de San Marcos, en el Perú, y dos cursos de verano[14] en la Universidad de México, ...

Sargento. —*Bostezando*[15] Basta,[16] no es necesario decir más. *(Coge un sello de goma*[17] *y estampa*[18] *el cuestionario, pronunciando las palabras siguientes:)* «Sabe leer y escribir[d]»

---

[1] la oficina de reclutamiento *recruiting office*   [2] el recluta *recruit*   [3] inscribirse *to sign up*   [4] aburrido *bored*   [5] médico *medical*   [6] hace una semana *a week ago*   [7] la escuela secundaria *high school*   [8] graduarse *to graduate*   [9] universitario *college*   [10] licenciado *to have a degree*   [11] en letras *in literature*   [12] de *by, from*   [13] hice varios cursos *I took several courses*   [14] el curso de verano *summer course*   [15] bostezar *to yawn*   [16] bastar *to be enough*   [17] el sello de goma *rubber stamp*   [18] estampar *to stamp*

Preguntas

1. ¿Dónde se presenta el recluta?
2. ¿A qué escuelas había asistido?
3. ¿Qué títulos universitarios tenía?
4. ¿Dónde había estudiado?
5. ¿Qué estampó el sargento en el cuestionario?

Expresiones útiles:

(a) Quiero hacerle algunas preguntas.

I want to ask you some
questions.

(b) Sufrí un examen el otro día.

I took an examination the
other day.

(c) El asistió a una escuela
secundaria.

He attended a secondary
school.

(d) El joven sabe leer y escribir.

The young man knows how to
read and write.

EXERCISES

I. Word Study — Match the following words:

(a) Same meaning

comenzar	colegio
coger	caballero
oficina	principiar
señor	tomar
escuela	despacho

(b) Opposites

después	acabar
pregunta	inferior
más	antes
comenzar	respuesta
superior	menos

II. Comprehension — Summarize the story by rearranging the following sentences:

1. El recluta contesta que asistió a la escuela primaria.
2. El sargento le hace varias preguntas.
3. Le pregunta si asistió a la escuela primaria.
4. Hay un joven en la oficina de reclutamiento.
5. El sargento estampa en el cuestionario que el recluta sabe leer y escribir.
6. El joven dice que quiere ser soldado.
7. El sargento le pregunta si quiere inscribirse.

III. Useful Expressions — Form new sentences based on the models:

1. Le hago varias preguntas.
   Usted me
   El les
   Nosotros te
   El señor Gil nos

I am asking you several
questions.

100

2. Hoy sufro un examen de matemáticas.　*Today I am taking an examination in mathematics.*

Nosotros
El
Ellos
Estos chicos

3. Este chico asistió a una escuela primaria.　*This boy attended a primary school.*

Manolito
Yo
La señorita Soto
Todos

4. El pobre hombre no sabe leer.　*The poor man does not know how to read.*

Mi hijo
Esta señorita
Ellos
Nosotros

IV. Series

(a) Repeat the series in the present with the subjects *él, nosotros, ellos:*

1. Quiero ser soldado.
2. Me presento a la oficina de reclutamiento.
3. Hablo con el sargento.
4. Le hago varias preguntas.
5. Me da las respuestas.

(b) Repeat the series in the past and future.

V. Prepositions — Supply the correct preposition in each of the following sentences:

1. El sargento entró . . . la oficina.
2. El quiere saber la fecha . . . hoy.
3. La oficina se abre . . . las nueve.
4. Compró el libro . . . cinco dólares.
5. Siempre trato . . . hacer algo.
6. El avión saldrá . . . las tres . . . la tarde.
7. Nuestra casa está . . . venta.
8. Nos gusta vivir . . . el campo.
9. Vamos . . . comprar varias cosas.
10. Saldremos . . . casa esta tarde.

No le interesa

No todos los hombres sienten el mismo respeto hacia el trabajo. Hay algunas personas que tratan de evitarlo como al demonio.[1] Uno de estos tipos, un vagabundo,[2] se paró frente a una granja[3] y le preguntó el granjero[4]:

—¿En qué puedo servirle?[5]

—Tengo hambre, tengo mucha hambre,[a] señor —respondió el vagabundo. —¿No podría darme algo de comer?[6]

El granjero observó al recién llegado.[7] Era un tipo[8] joven y fuerte. Y llegó a la conclusión de que estaba en presencia de un haragán.[9]

—Sí, amigo mío, con mucho gusto.[b] Aquí puede usted comer tres veces al día,[c] y aun más si quiere. Puede comer la cantidad que le pida el estómago.[10] Pero tendrá que trabajar. ¿Acepta?

El vagabundo se rascó[11] la cabeza, y luego preguntó:

—¿Y qué tengo que hacer?

—Sacar patatas de la tierra.

El vagabundo se quedó pensativo[12] unos cuantos minutos[d] y le contestó:

—Mire, patrón;[13] para eso es mejor ocupar a la persona que las plantó . . . El sabe mucho mejor dónde las puso . . . Lo siento, pero, su proposición no me interesa.

Preguntas

1. ¿Quién se paró frente a una granja?
2. ¿Qué preguntó el granjero al vagabundo?
3. ¿Qué respondió el vagabundo?

---

[1] el demonio *devil*   [2] el vagabundo *tramp, vagabond*   [3] la granja *farm*   [4] el granjero *farmer*   [5] ¿En qué puedo servirle? *Can I help you?*   [6] algo de comer *something to eat*   [7] el recién llegado *recently arrived one*   [8] el tipo *fellow, person*   [9] el haragán *loafer*   [10] le pida el estómago *your stomach needs*   [11]rascarse *to scratch*   [12] pensativo *thoughtful*   [13] el patrón *boss*

4. Para comer, ¿qué tenía que hacer?
5. ¿Le interesa trabajar al vagabundo?

Expresiones útiles:

(a) El pobre hombre tiene hambre.

The poor man is hungry.

(b) Lo haré con mucho gusto.

I shall do it with great pleasure.

(c) Como tres veces al día.

I eat three times a day.

(d) El me esperó unos cuantos minutos.

He waited for me a few minutes.

EXERCISES

I. Word Study — Match the following words:

(a) Vocabulary

mismo	*work*
mejor	*remain*
pararse	*strong*
delante de	*avoid*
aparecer	*eat*
fuerte	*stop*
comer	*same*
trabajar	*in front of*
quedarse	*appear*
evitar	*better*

(b) Opposites

responder	*recibir*
algo	*contestar*
joven	*poner*
fuerte	*poco*
llegar	*noche*
mucho	*viejo*
día	*débil*
dar	*preguntar*
sacar	*salir*
preguntar	*nada*

II. Comprehension — Complete the unfinished sentences to the left with the proper part to the right:

1. El vagabundo no siente	*no se come sin trabajar.*
2. Es persona que	*la idea de trabajar.*
3. El haragán llega	*no trabaja, no come.*
4. El le dice al granjero que	*patatas de la tierra.*
5. El granjero observó	*tiene hambre.*
6. Le dijo al vagabundo que	*evita el trabajo.*
7. Al vagabundo no le gusta	*cerca de una granja.*
8. No quería sacar	*respeto hacia el trabajo.*
9. El granjero le dice que	*que él era joven y fuerte.*
10. En la granja quien	*podía comer si trabajaba.*

104

III. Useful Expressions – Form new sentences:

1. El siempre tiene hambre. *He is always hungry.*
   Yo
   Ellas
   Este chico
   Usted
   . . .

2. Hago eso tres veces al día. *I do this three times a*
              semana. *day.*
              mes.
              año.
              . . .

3. Trabajamos con mucho gusto. *We work with great*
   Comíamos *pleasure.*
   Respondimos
   Comeremos
   Hemos leído
   . . .

4. Usted estudiará unas cuantas horas. *You will study a few*
                             hours.
                  minutos.
                  días.
                  semanas.
                  meses.
                  . . .

IV. Series – Repeat the series in the present with the subjects *usted, nosotros, ellos:*

1. Paso las vacaciones en el campo.
2. Me interesa trabajar en una granja.
3. Acepto el trabajo con mucho gusto.
4. Trabajo ocho horas al día.
5. Gano bastante dinero.
6. Gastaré el dinero durante el curso.

Su carta era mejor

El Día de Reyes° es la fiesta más importante del año para los niños de habla española.[1] En ese día, el seis de enero, los tres Reyes Magos hacen los regalos de Navidad[2] a los niños que se han portado bien[a] todo el año.

Dos hermanitos, Jorgito y Paquito,[3] estaban escribiendo sus cartas a los Reyes. El más pequeño, Paquito, pregunta al mayor:

—¿Qué les pides a los Reyes Magos?

—No mucho; muy poco: un tambor,[4] unos patines,[5] una trompeta y una pistola.

—¿No tienes miedo de pedir[6] tanto?

—Les pido eso para sacarle dinero[7] a la familia.

—¿Cómo?

—Ya verás:[b] papá me dará dinero si no toco el tambor; mamá, por no dejar olvidados[8] los patines en la escalera; el abuelo me dará dinero por no tocar[c] la trompeta; y la abuela, por ser bueno y no hacer ruido con la pistola.

—Mira, chico —dijo Paquito —¡déjame copiar[9] tu carta! La mía no es tan buena como la tuya.[d]

Preguntas

1. ¿Qué es el Día de los Reyes para los niños hispanos?
2. ¿Quiénes son los dos hermanitos?

[1] habla española *Spanish language*   [2] Navidad *Christmas*   [3] Paquito *Frankie*   [4] el tambor *drum*   [5] el patín *skate*   [6] tener miedo de pedir *to be afraid of asking for*   [7] sacarle dinero *to get money out of*   [8] dejar olvidados los patines *to forget the skates*   [9] copiar *to copy*
[°] Los Reyes or Los Reyes Magos: the Magi or Three Wise Men of the East, Melchoir, Jasper, and Balthazar, who guided by a star went to Bethlehem to do homage and to offer gifts to the infant Jesus. In commemoration of this legend, the boys and girls in Spanish-speaking countries receive presents on the feast of Epiphany, January 6, very much in the manner of the Santa Claus legend. The Reyes Magos put the children's presents in their shoes which are placed on the balconies instead of in the stocking at the fireplace, as in the United States.

3. ¿Qué pide el mayor a los Reyes Magos?
4. ¿Para qué pide todo eso?
5. ¿Por qué quiere copiar la carta el más pequeño?

Expresiones útiles:

(a) Los niños se han portado bien.   *The children have behaved.*
(b) Ya verás que es así.   *You will see that it is so.*
(c) Le pagaron por no tocar.   *They paid him for not playing.*
(d) Mi carta no es tan buena   *My letter is not so good as*
    como la tuya.   *yours.*

EXERCISES

I. Word Study — Match the following words:

(a) Vocabulary

regalo	*letter*	dinero	*skates*
portarse	*ask for*	tocar	*noise*
carta	*extract*	patines	*forget*
mayor	*present*	escalera	*play*
pedir	*behave*	olvidar	*money*
sacar	*older*	ruido	*stairs*

(b) Opposites

mucho	*tampoco*	bien	*peor*
pequeño	*noche*	sacar	*sin*
mayor	*dar*	olvidar	*menos*
también	*grande*	más	*mal*
día	*poco*	mejor	*recordar*
recibir	*menor*	con	*poner*

II. Comprehension — Rearrange the words to make sentences which are related to the story:

1. los, distribuyen, a, niños, reyes, los, magos, regalos, los.
2. día, es, enero, de, el, reyes, seis, de, el, los.
3. dos, piden, ganar, los, para, dinero, chicos, cosas.
4. él, mayor, cada, más, hermano, pide, vez.
5. hermano, carta, mayor, Paquito, la, copió, de, su.
6. el, los, enero, seis, niños, regalos, de, reciben, los.

III. Useful Expressions — Recite the complete form of the following:

1. El estudia cada vez más.   *He studies more and more.*
   Yo no
   Usted
   Nosotros
   El

2. No tendré miedo de hacer eso.   *I shall not be afraid to do*
    Pilar   *that.*
    Mi padre
    Mis amigos
    Nosotros

3. Déjeme escribir la carta.   *Let me write the letter.*
       escuchar la radio.
       leer este libro.
       terminar esto.
       cantar un poco.

4. Mi auto es tan bueno como el suyo.   *My auto is as good as*
    Nuestros regalos   *yours.*
    Mi casa
    Tus amigos
    Mis trajes

IV. Dialog – Memorize and dramatize:

—¿Has pedido mucho a los   *Have you asked the Magi*
Reyes Magos este año?   *for a lot this year?*

—No, no tanto como el año   *No, not so much as last year.*
pasado.

—¿Qué les has pedido?   *What did you ask them for?*

—Un auto, un televisor y una   *An auto, a television, and a*
guitarra.   *guitar.*

—Se ve que no pides mucho.   *I can see that you are not*
                                    asking for much.

—Con estas tres cosas tengo   *The three things are enough*
bastante; no quiero abusar   *for me; I don't want to*
de su generosidad.   *abuse their generosity.*

V. Language Structure – Complete each sentence with the proper form of *ser* or *estar:*

    1. El padre de los niños . . . médico.
    2. La puerta del cuarto . . . abierta.
    3. Hoy no . . . el primero de abril.
    4. La carta de su hermano . . . mejor.
    5. Los chicos . . . sentados a la mesa.
    6. Ellos . . . escribiendo una carta a los Reyes.
    7. Los dos niños . . . hermanos.
    8. Hoy Jorgito no . . . muy bien.
    9. México . . . en la América del Norte.
  10. Los hermanos no . . . en la escuela.

VOCABULARIO

A

a at, to
abdomen m., abdomen
abril m., April
abuela f., grandmother
abuelo m., grandfather
abusar de to abuse
acabar to finish
aceptar to accept
acto m., act; event; function
actual present; **presente**
adaptarse to adapt oneself
además (de) besides
aeropuerto m., airport
abuso m., abuse
agosto m., August
¡ah! oh! ah!
ahora now
aire m., air
al + inf. upon or on + pres. part.;
— **caer** on falling
alegrarse (de) to be glad (to); X **sentir**
alemán m., German
algo something; X **nada**
alguien somebody, someone; **alguno**
alguno someone, somebody; X **nadie, ninguno**
alto, -a high; X **bajo**
alumno m., pupil
ambos, -as both
América f., America; — **del Sur** South America

amiga f., friend
amigo m., friend; X **enemigo**
anciana f., old lady
anécdota f., anecdote
anuncio m., advertisement
ángel m., angel
atender (ie) to attend, take care of
antes before; — **de** before (time);
— **(que)** before; X **después**
año m., year; **tener . . . años** to be
. . . years old
apagar to put out; X **encender**
aparecer (-zco) to appear
apartamento m., apartment
apenas scarcely, hardly
aprender to learn
aquí here; **por** — here, around
here; — **cerca** near here
arte m., art
artista m., artist
asegurarse to be assured, assure
oneself
así so, like this, in this way
asiento m., seat
asustar to frighten
atención f., attention; **prestar** —
pay attention
atractivo, -a attractive; X **feo**
aun even
aún yet, still
auto m., auto
autobús m., bus; **ómnibus**

automóvil m., automobile
autor m., author
avión m., plane, airplane
avisar to tell, inform
ayudar to help

B

bailar to dance
bajar(se) to go down, descend
bajo, -a low
banana f., banana
banco m., bank
bastante enough; quite
beber to drink
Bernardo Bernard
bien well; **muy —** very well; X **mal**
blanco, -a white
bolsillo m., pocket
bueno, -a good; X **malo**
bueno adv., well
buscar to look for, search

C

caballero m., gentleman
cabeza f., head
caja f., box; safe
calma f., calmness, composure
calor m., heat; X **frío**
cama f., bed
cambiar to change
campo m., country
cantar to sing; X **llorar**
cantidad f., quantity
cara f., face
Carlitos Charlie
Carlos Charles
Carmen Carmen
carne f., meat
carta f., letter
casa f., home; **a —** home,
  homeward; house
casado, -a married
casarse to get married; **— con**
  marry (someone)
caso m., case
castaña f., chestnut
castigar to punish
causa f., cause
ceder to cede, give up
célebre celebrated, famous

centro m., center
cerca de near; **aquí cerca** near
  here; X **lejos de**
cerrar (ie) to close
ciencia f., science
cierto, -a certain; **— vez** once
cinco five
citar to cite; give
ciudad f., city; X **campo**
clase f., class
clásico, -a classical
coche m., coach, carriage, car
cocina f., kitchen
coge takes
coger (jo) to take, take hold of;
  tomar
cojo I take
colegio m., school
comedor m., dining room
comenzar (ie) to begin; **empezar;**
  X **acabar**
comer to eat; **comiendo** eating;
  —se eat up; **me lo comía** I was
  eating it up; **como** I eat; **me lo**
  como I eat up
comida f., meal
como as, like
¿cómo? how?
comprar to buy; X **vender**
comprender to understand
con with; X **sin**
concierto m., concert
conclusión f., conclusion
conocer(-zco) to know
construir to build, construct
consultorio m., doctor's office
contestación f., answer
contestar to answer; **responder;** X
  preguntar
contrato m., contract
copiar to copy
correcto, -a correct
correr to run
cortar to cut
cortés courteous
cosa f., thing
costa f., coast
criada f., maid
criminal m., criminal
cuadro m., picture

114

¿cuándo? when?
¿cuánto, -a? how much?
cuarto m., room; quarter
cuatro four
cuento m., story
cuestión f., question
cuestionario m., questionnaire
cultural cultural
Curro Frank
curso m., course

CH

chico m., child; boy; muchacho

D

dado given p.p. of dar
dama f., lady
dar to give; —se cuenta de realize;
 X recibir
de of
deber to have to, must
débil weak
decidir to decide
decir to say, tell
dejar to let, allow; déjame copiar
 let me copy
del of the
delante de in front of, before
demasiado adv., too
deportes m., sports
derecho, -a right; X izquierdo
desear to wish, want
despacho m., office
despedirse (i) to take leave
después afterwards; — de prep.
 after; X antes de
destruir to destroy; X construir
determinar to discover, determine
devuelvo I return
día m., day; X noche
diagnóstigo m., diagnosis
dice says
dicho said; p.p. of decir
dicho, -a said
diciendo saying
dieciséis sixteen
diez ten
difícil hard, difficult
digo I say

dijo said
dinero m., money
disco m., record
dispensar to pardon, excuse;
 perdonar
distinguido, -a distinguished,
 esteemed
distribuir to distribute
distrito m., region, district
división f., division
doctor m., doctor
dolor m., pain
¿dónde? where?
dormir (ue) to sleep
dormitorio m., bedroom
dos two
dulce m., piece of candy
duro m., Spanish dollar

E

edad f., age
edificio m., building
educar to educate, bring up
elegante elegant
elemental elementary
ella she, her
ellos, -as they
empezar (ie) to begin; X acabar
emplear to employ, use
en in
encender (ie) to light
encontrar (ue) to find
enemigo, -a enemy, hostile
enero m., January
enorme enormous, huge
enseñar to show; teach; mostrar
ensució (se) he got dirty
entonces then
entrar to enter; — en enter into,
 in; X salir
entre between, among
enviar (í) to send; X volver; mandar
época f., time, epoch
eres you are
es is
escalera f., stairs, stairway
escena f., scene
escoger (-jo) to choose
escribir to write
escuchar to listen

escuela f., school; **colegio**
eso that
especial special
especialidad f., specialty
esperar f., to wait (for)
esposa f., wife
esposo m., husband
está is
establecido, -a established
estación f., season; station
estado m., state
Estados Unidos m., United States
están are
este, -a this
éste, -a this one; the latter
esto this
estudiar to study
estupendo, -a wonderful
evidente evident, clear
evitar to avoid
exactamente just so, exactly
examen m., examination; **sufrir un**
— take an examination
exclamación f., exclamation
explicación f., explanation
explicar to explain
exponerse to expose oneself
expresión f., expression
exterior m., exterior
extraordinario, -a extraordinary,
exceptional

F

faltar to be missing
familia f., family
famoso, -a famous, celebrated;
célebre
favor m., favor; **por** — please
felicitar to congratulate
Felipe Philip
feo, -a ugly
Fernando Ferdinand
fiesta f., holiday
Filomena Filomena
fin m., end; **al** — at last, finally
firmar to sign
firmé I signed
flaco, -a thin
fonógrafo m., phonograph
frente a facing, in front of

frío m., cold; **X calor**
fuera out
fuerte strong; **X débil**
furioso, -a furious
fútbol m., football

G

ganar to gain, earn; **X perder**
gastar to spend
generosidad f., generosity
gobierno m., government
gordo, -a fat, stout; **X flaco**
gracias f., thanks
gran great
grande big, large; **X pequeño**
gritar to shout, scream

H

ha has, have
habitación f., room
hablan speak
hablar to speak
hacer to do, make; — **preguntas**
ask questions
hacia toward
hacía did
haciendo doing
hambre f., hunger
has have
hasta even
hay there is, there are
hecho done p.p. of **hacer**
herido, -a wounded
hermanita f., little sister
hermanito m., little brother
hermano m., brother; pl. brother(s)
and sister(s)
hija f., daughter
hijo m., son; pl. son(s) and
daughter(s)
hispano, -a Spanish, Spanish-
speaking
hombre m., man
honor m., honor
hora f., hour, time
hotel m., hotel
hoy today
hubo there was
humano, -a human

I

iba walked; — **por** walked along
importante important
inconveniente inconvenient
inferior inferior
inglés m., English, Englishman
inmediatamente immediately
insistir to insist
insolencia f., insolence
instrumento m., instrument
intención f., intention
interesante interesting
interesar to be of interest, interest
interior m., interior, inside; X
  exterior
invierno m., winter
invitar to invite
ir to go; — **a** + **inf.** be going
  + inf.; X **venir**
Isabelita Betty
izquierdo, -a left; X **derecho**

J

Jorgito Georgie
José Joseph
Joselito Joey
joven young; X **viejo**
Juan John
Juanito Johnny
jueves m., Thursday

L

lado m., side
lástima f., pity
le to you, him, her; you, him, her
lección f., lesson
lejos far; — **de** far from
les to you, them; them
levantar to raise; —**se** get up
ley f., law
libra f., pound
libro m., book
limpio, -a clean
listo, -a smart
lo it; him
local local
loco, -a crazy
Luisa Louise
luego then
lugar m., place

Luisito Louie
luz f., light

LL

llamar to call; — **a** knock at
llegar to arrive; — **a** arrive; X
  salir
llenar to fill; X **vaciar**
llevar to carry, take
llorar to cry, weep

M

madre f., mother
Madrid capital of Spain
maestro, -a school teacher
mal badly
malo, -a bad; poor
mamá f., mother; **madre**
mandar to send; X **recibir; enviar**
mándenme send me (imperative)
manera f., manner; **de todas** —**s**
  anyway, anyhow
mano f., hand
Manolín Manny
manzana f., apple
mañana f., morning
maravilloso, -a wonderful,
  marvelous
María Mary
Maruja Marie
mas but
más more; X **menos**
matemáticas f., mathematics
mayor older; **el** — the oldest; X
  menor
me me, to me
médico m., doctor; **doctor**
mediodía m., noon
mejor better; **el** — the best
mejorar to improve
memoria f., memory
menor the youngest
mes m., month
mesa f., table
método m., method
México m., Mexico
mí me
mi my
miembro m., member
mientras (que) while

117

millonario m., millionaire
minuto m., minute
mío, -a my, mine
mira look (imperative)
mirar to look (at)
mismo, -a same
misterio m., mystery
mitad f., half
moderno, -a modern; X **antiguo**
molestar to annoy, trouble
momento m., moment
morir(ue) to die
mosquito m., mosquito
mostrar(ue) to show
mover(se) (ue) to move
muchacho m., boy
mucho adv., much; X **poco**
mucho, -a much, a great deal of
muchos, -as many
mueble m., piece of furniture
muestra show
museo m., museum
música f., music
muy very

N

nada nothing, not . . . anything; X
  algo
nadie no one, nobody; not . . .
  anyone, not . . . anybody; X **alguien**
natural natural
naturalmente naturally
necesidad f., necessity, need
necesario, -a necessary
necesitar to need
negocio m., business
negro, -a black; X **blanco**
ninguno nobody; X **alguno**
ninguno, -a (ningún) no, none,
  not . . . any
niña f., child; girl
niño m., child; pl., children
no no, not
noche f., night; X **día**
nos us
nosotros, -as we
nota f., note; mark
número m., number
numeroso, -a numerous
nunca never

O

obediente obedient
obscuridad f., darkness
observar to observe
ocho eight
ocupar to occupy; employ; hire
ocurre happens
ocurrir to happen
oficina f., office; **despacho**
ofrecer (-zco) to offer
oir to hear
ojo m., eye
olvidar to forget; X **recordar**
ómnibus m., omnibus
once eleven
operación f., operation
orquesta f., orchestra
otoño m., autumn
otro, -a other, another

P

Pablo Paul
paciencia f., patience
paciente m., patient; **enfermo**
Pacífico (el) m., Pacific Ocean
padre m., father; pl., father and
  mother, parents
pagar to pay (for)
pájaro m., bird
palabra f., word
papá m., papa, father
Paquito Frankie
para in order to, to, for; ¿— **qué?**
  what for? why?
parar(se) to stop
paraguas m., umbrella
pariente m., relative
parque m., park
parte f., part
particular private
particularmente particularly
pasar to happen; spend (time);
  ocurrir
paseo m., walk; **dar un —** go for
  a walk (ride)
pastel m., cake, pie
patata f., potato
pecho m., chest
pedir (i) to ask (for); **— informes**
  ask for information

Pedro Peter
pegar to strike, beat
peor worse
pequeño, -a small, little; X **grande**
pera f., pear
perder (ie) to lose; X **encontrar**
perdonar to pardon
periódico m., newspaper
permitir to allow, permit; X **prohibir**
pero but; **mas**
persona f., person
pescado m., fish
Petronila Petronila
pintar to paint
pintura f., painting
pistola f., pistol; **revólver**
placer m., pleasure; X **molestia**
plantar to plant
pobre poor
poco, -a little
poco adv., little
poder (ue) to be able, can
podía could
poner to put
popular popular
por for, by; through; during;
— **aquí** around here; — **eso**
for that reason
porque because
¿por qué? why?
portarse to behave
pregunta f., question; **hacer una** —
to ask a question; X **respuesta**
preguntar to ask; X **contestar**
preocuparse to worry
preparar to prepare; —**se para**
prepare oneself for
presencia f., presence
presentar(se) present oneself, appear
presidente m., president
prestar to lend; — **atención** pay
attention
primario, -a primary
primavera f., spring
primero adv., at first
primero, -a (primer) first
principal principal, main
principalmente especially
principiar to begin
problema m., problem

profesor, -a teacher
profundo, -a deep, profound
programa f., program
prohibir to forbid
pronto adv., soon; **de** — suddenly
pronto, -a prompt, ready
pronunciar to pronounce, say
proposición f., proposition, offer
prosperar to prosper
público, -a public; X **particular**
pueblo m., town
puedo am able, can
puerta f., door
pues well, so

Q

que who, which, that; than; **es** —
it's that; **lo** — what, that which
¿qué? what? which? **¿— tal?**
How? How are you?
¡qué! what a!
quedar(se) to remain
¿quién, -es? who?
quiere wants
quieren a love
quiero I want
quinto, -a fifth

R

radio m., f., radio
raro, -a strange
rato m., while
receta f., prescription
recibir to receive; X **dar**
recomendación f., recommendation
recordar (ue) to remember
regalo m., present, gift
regresar to return; X **ir**
reir(se) to laugh; — **de** to laugh
(at); X **llorar**
repetir (i) to repeat
representar to represent
resolver (ue) to solve
respeto m., respect
responder to answer; **contestar;**
X **preguntar**
respondió answered
respuesta f., answer; **contestación**
revólver m., revolver
rey m., king; **los Reyes Magos**
the Wise Men of the East

119

rico, -a rich; X **pobre**
ruido m., noise
rural rural, country

S

saber to know
sabes you know
sacar to take (out); X **poner**
sacrificio m., sacrifice
sala f., living room
salgo I go out, leave
salir to go out, leave; X **entrar**
Salvador (El) Salvador, country in Central America
sargento m., sergeant
según according to
segundo, -a second
segundo m., second
seguro, -a sure
seis six
sentado, -a seated
sentarse (ie) to sit down; X **levantarse**
sentir (ie) to regret; feel; **lo siento** I am sorry
señor m., Mr., sir, gentleman; **caballero**
señora f., lady, madam; **dama**
señorita f., Miss, young lady
serie f., series
serio, -a serious
servir (i) to serve; **¿En qué le puedo —?** May I help you?
si if
sí yes; oneself
siempre always; X **nunca**
siento am sorry
siete seven
siguiente following, next
silencio m., silence; X **ruido**
silla f., chair
sin without
sinfónico, -a symphonic, symphony
Sinforoso Sinforoso
sobre on, upon
sociedad f., society
Sofía Sophia
sólo adv., only
solo m., solo
sombrero m., hat

son are
su his, her, its, their, your
subir a to go up; climb; X **bajar**
sucio, -a dirty; X **limpio**
suelo m., floor
sufrir to suffer; **— un examen** take an examination
sugerir (ie) to suggest
superior superior; X **inferior**

T

también also; X **tampoco**
tampoco neither
tan so
tanto adv., so much
tarde adv.,late; **más —** later; X **temprano**
tarde f., afternoon
tarifa f., fare
te you
telefonear to telephone
telegrama m., telegram
temprano early
tener to have; **tener ... años** to be ... years old; **— que + inf.** have to + inf.
tercero, -a (tercer) third
terminar to end
ti you, for you
tía f., aunt
tiempo m., time; **a —** on time
tienda f., store
tiene has
tienes you have
tierra f., earth
tío m., uncle
tipo m., type; fellow, person
título m., degree
tocar to play (an instrument); touch
todo pron., everything, all
todo, -a all, every; the whole; **— el mundo** everybody; **—s** everybody, all
tomar to take; X **dar**
Tomás Thomas
tonto, -a stupid; X **listo**
trabajar to work
trabajo m., work
traje m., suit (of clothes)
tras after

tratar to treat (of), deal (with)
treinta thirty
tres three
trompeta f., horn, trumpet
tu your
tú you (familiar)
tuyo, -a yours

U

último, -a last; X **primero**
un(o), -a one, a, an
unos, -as some
único, -a only
útil useful
utilización f., utilization
usted, -es you

V

vacaciones f., vacation
varios, -as several
ve sees
ve (vete) go, go away (imperative)
veinte twenty
ven you, they see
ven come here (imperative)
vendedor m., vendor, salesman

vender to sell
vendía he sold
vendiendo selling
venir to come
ventana f., window
veo I see
verdad f., truth; **es —** it's true
vez f., time; **cierta —** once;
  una — más once more; **a veces**
  sometimes, at times
viajar to travel
viaje m., trip
víctima f., victim
vida life
viernes m., Friday
vio saw
violento, -a violent
vivir to live; X **morir**
volcán m., volcano
volver (ue) to return; **— a ver**
  to see again
voz f., voice

Y

y and
ya already; in time